韓国語
日本紹介事典
JAPAPEDIA
ジャパペディア

IBCパブリッシング 編

キム・ヒョンデ 訳

IBCパブリッシング

カバーデザイン ＝ 岩目地英樹（コムデザイン）
イラスト　　　＝ テッド高橋、横井智美
ナレーション　＝ 루나웨이브 (LUNARWAVE)

まえがき

　日韓の交流が次第に盛んになり、両国を行き来する旅行客数も年々増えています。若年層を中心に、最も好きな海外旅行先として韓国と日本を互いに挙げているアンケート調査も見られます。

　しかし、ある程度韓国語を勉強して、旅行や留学などで知り合った韓国人の友達と付き合っても、いざ日本について韓国語で説明しようとすると困ってしまうことが多いのではないでしょうか。特に、韓国人がよく知らない日本の習慣や文化を説明するのはとても難しいことです。日本は長い歴史をかけて積み重ねてきた伝統文化を持っています。同じアジアの国でありお隣の国でもある韓国ですが、意外と韓国人にはあまり知られていない日本文化が多いのも事実です。

　この本は、さまざまな例文を通じて日本のさまざまな事情を説明するフレーズブックです。この本の多様な例文を活用して、韓国人に日本について説明する方法を考え、練習してみてください。各章の最後には知っておくと役に立つ韓国語や韓国の文化について紹介するコラムも載せています。この本が韓国語の実力向上はもちろん、互いの文化をより深く理解できる契機になることを願います。

　また、この本には日本語の固有名詞がたくさん登場します。日本語の固有名詞を韓国語で表記する際は、韓国の国立国語院で規定されている日本語表記法を基準としています。ただし、韓国人が一般的に知っていて、よく使っている単語の場合はそちらに従いました。例えば、日本語の「畳」は다다미（日本語の発音に従うと 다타미 になります）、「豚カツ」は 돈가스（돈카쓰）、「にぎり寿司」は 니기리스시（니기리즈시）などがそうです。他にも、京都の名所である「金閣寺」と「銀閣寺」の場合、日本語表記法によるといずれも「긴카쿠지」となるため、韓国語の漢字の音読みでそれぞれ「금각사」、「은각사」と翻訳しました。

　この本をくり返し読んで、音声を聞いて、話すことで、皆さんが韓国の人たちとの交流と理解をさらに深めることができれば、とてもうれしく思います。

キム・ヒョンデ

◆韓国の基本情報

韓国の国旗「太極旗」

国　名：大韓民国
首　都：ソウル特別市

公用語：韓国語（使用文字はハングル）
面　積：100,200km²（世界 109 位）
　　　　＊朝鮮半島の約 45%、日本の約 4 分の 1
人　口：約 5,162 万人（2022 年）
通　貨：大韓民国ウォン（KRW）

政　体：民主共和制
大統領：尹錫悦（2022 年 5 月 10 日 – ）

江原道

太白山脈

忠清北道

慶尚北道

5

慶州市

6

慶尚南道

7

巨済島

南海島

鬱陵島

竹島

島根県

1：ソウル特別市
2：仁川広域市
3：大田広域市
4：光州広域市
5：大邱広域市
6：蔚山広域市
7：釜山広域市
8：世宗特別自治市

●音声ダウンロードについて●

　本書の韓国語の音声ファイル（MP3 形式）をダウンロードして聞くことができます。

　各セクションの冒頭にある QR コードをスマートフォンで読み取って、再生・ダウンロードしてください。音声ファイルはトピックごとに分割されていますので、お好きな箇所をくり返し聞いていただけます。

　また、下記 URL と QR コードからは音声ファイルを一括ダウンロードすることができます。

https://ibcpub.co.jp/audio_dl/0771/

※ ダウンロードしたファイルは ZIP 形式で圧縮されていますので、解凍ソフトが必要です。

※ MP3 ファイルを再生するには、iTunes や Windows Media Player などのアプリケーションが必要です。

※ PC や端末、ソフトウェアの操作・再生方法については、編集部ではお答えできません。付属のマニュアルやインターネットの検索を利用するか、開発元にお問い合わせください。

第 1 章

日本の基本情報

日本の基本情報
日本の地理・気候

日本の基本情報

「にっぽん」または「にほん」と読みます。どちらも多く用いられているため、日本政府は正式な読み方をどちらか一方には定めておらず、どちらの読みでも良いとしています。古くは「倭」と呼ばれました。

国名

☐ 日本語では、日本のことをニッポンといいます。

☐ ニッポンは日本の公式な名前です。

☐ 日本人は時々、ニッポンをニホンと発音します。

暦・元号

☐ 日本は西洋諸国と同じ太陽暦を使っています。

☐ 旧暦とは太陰暦のことで、日本は1872年まで使っていました。

☐ 日本では、西暦と日本式の元号の両方を使っています。たとえば、西暦2023年は、令和5年です。

☐ 元号はもとは中国からきたものですが、今では日本独自の制度を使っています。

☐ 日本の年号制度では、新たな天皇が皇位を継承してからの年数が基本になっています。

☐ 2023年は日本式では令和5年です。現在の天皇が皇位を継承して5年目ということです。

民族・移民

☐ 日本の人口の98%が日本人です。

☐ およそ44万人の韓国人移民が日本には住んでいます。

국명

일본어로는 일본을 닛폰이라고 합니다.

닛폰은 일본의 공식 이름입니다.

일본인은 때때로 닛폰을 니혼이라고 발음하기도 합니다.

달력 · 원호

일본은 서양 국가들과 같은 태양력을 사용하고 있습니다.

옛 달력은 태음력으로, 일본은 1872년까지 사용했습니다.

일본에서는 서력과 일본식 원호를 모두 사용하고 있습니다. 예를 들어, 서력 2023년은 레이와 5년입니다.

원호는 원래 중국에서 온 것이지만, 지금은 일본 독자적인 제도를 사용하고 있습니다.

일본의 연호 제도는 새로운 천황이 황위를 계승한 이후의 연수가 기본이 됩니다.

2023년은 일본식으로는 레이와 5년입니다. 현재의 천황이 황위를 계승하고 5년째라는 것입니다.

민족 · 이민자

일본 인구의 98%는 일본인입니다.

약 44만 명의 한국인 이민자가 일본에 살고 있습니다.

☐ 日本にはおよそ44万人の韓国人移民が住んでいますが、多くの人たちが日本の市民権を取得しています。

☐ 日本に住んでいる外国人、もしくは移民の数は290万人ほどです。

☐ 北海道にはアイヌと呼ばれる先住民がいます。

☐ 北海道にはアイヌと呼ばれる先住民がいて、その人口は約13,000人です。

☐ 2019年、日本を訪れた外国人はおよそ3180万人です。

☐ 日本人と結婚して日本に住む外国人はおよそ20万人です。

☐ 日本にいる留学生は約24万人です。

時間帯

☐ 日本標準時はUTC（世界標準時）プラス9時間です。

☐ 日本と韓国は同じ時間帯です。

単位

☐ 日本では、1885年以来、メートル法を使っています。

☐ 日本は、重さの単位にはグラムを、体積の単位にはリットルを使います。

☐ 尺貫法とは、日本の昔からの度量衡法です。尺は長さの単位、貫は重さの単位です。

☐ 日本の通貨は円です。

☐ 日本の通貨は円で、換算レートは変動為替相場が基本になっています。

☐ 銭と厘は、円のさらに下の単位ですが、今では使われていません。

交通・入国

☐ 日本では車は左側通行です。

일본에는 약 44만 명의 한국인 이민자가 살고 있지만, 많은 사람들이 일본의 시민권을 취득했습니다.

일본에 살고 있는 외국인 또는 이민자 수는 290만 명 정도입니다.

홋카이도에는 아아누라고 불리는 선주민이 있습니다.

홋카이도에는 아이누라고 불리는 선주민이 있고, 그 인구는 약 13,000명입니다.

2019년, 일본을 방문한 외국인은 대략 3,180만 명입니다.

일본인과 결혼하여 일본에 사는 외국인은 대략 20만 명입니다.

일본에 있는 유학생은 약 24만 명입니다.

시간대

일본 표준시간은 UTC(세계표준시) 더하기 9시간입니다.

일본과 한국은 같은 시간대입니다.

단위

일본에서는 1885년 이후 미터법을 사용하고 있습니다.

일본에서 무게 단위는 그램을, 부피 단위는 리터를 사용합니다.

척관법은 일본 옛날부터의 도량형입니다. 척은 길이의 단위, 관은 무게의 단위입니다.

일본의 통화는 엔입니다.

일본의 통화는 엔이고, 환산 환율은 변동환율이 기본입니다.

전과 리는 엔보다 더 낮은 단위이지만 지금은 사용하지 않습니다.

교통 · 입국

일본에서 자동차는 좌측 통행입니다.

- [ ] 主要空港は、東京近郊にある成田国際空港と、大阪周辺向けの関西国際空港です。

- [ ] 東京には成田と羽田の国際空港があります。

- [ ] 関西国際空港は、大阪周辺地区向けです。

- [ ] 中部国際空港は、名古屋周辺地区向けです。

- [ ] 羽田国際空港は、国際線ネットワークの拡張を行っているところです。

- [ ] 北海道の新千歳国際空港と九州の福岡国際空港からは、国際線も乗り入れています。

電話・インターネット

- [ ] 日本の国際電話の国番号は81です。

- [ ] たいていのホテルには、Wi-Fiが完備されています。

- [ ] ネットカフェに行けば、インターネットにアクセスできるパソコンが使えます（有料）。

- [ ] 公共交通でもWi-Fiアクセスを提供します。

成田空港

주요 공항은 도쿄 근방에 있는 나리타 국제공항과 오사카 주변의 간사이 국제공항입니다.

도쿄에는 나리타와 하네다 국제공항이 있습니다.

간사이 국제공항은 오사카 주변 지역을 위한 것입니다.

주부 국제공항은 나고야 주변 지역을 위한 것입니다.

하네다 국제공항은 국제선 네트워크를 확장하고 있는 중입니다.

홋카이도의 신치토세 국제공항과 규슈의 후쿠오카 국제공항에서는 국제선도 운행하고 있습니다.

전화 · 인터넷

일본 국제전화의 국가번호는 81입니다.

대부분의 호텔에는 와이파이가 완비되어 있습니다.

넷카페에 가면 인터넷에 접속할 수 있는 컴퓨터를 사용할 수 있습니다(유료).

공공교통에서도 와이파이 접속을 제공합니다.

羽田空港

日本の地理・気候

日本の位置、地勢や気候を韓国語で説明できるようになりましょう。韓国は日本と同様に四季がありますが、湿度は低く1年を通して乾燥しています。日本の夏は暑さの他に湿度が高いことなどを説明できるといいでしょう。

日本の位置

☐ 日本は極東に位置しています。

☐ 日本は極東の、アジアの端にあります。

☐ 日本の近隣諸国は、韓国、中国、ロシアなどです。

☐ 日本は極東に位置しており、隣国は韓国、中国、ロシアです。

☐ 日本海の向こうは、中国、ロシア、韓国です。

☐ 日本とアジア諸国の間には、日本海があります。

☐ 日本は太平洋を挟んで、アメリカと向き合っています。

☐ 日本は環太平洋地域の国のひとつです。

☐ 東京からソウルまでの距離は約1,160キロです。

☐ ソウルから東京までは飛行機でおよそ2時間30分かかります。

☐ ソウルの空港は2ヵ所です。仁川国際空港と金浦国際空港です。

北海道
信越
中国　　　北陸
九州
東北
四国
近畿　　東海　　関東
沖縄

일본의 위치

일본은 극동에 위치해 있습니다.

일본은 극동, 아시아의 끝에 있습니다.

일본의 주변 국가는 한국, 중국, 러시아 등입니다.

일본은 극동에 위치해 있고, 인접국은 한국, 중국, 러시아입니다.

일본해의 건너편은 중국, 러시아, 한국입니다.

일본과 아시아 국가들 사이에는 일본해가 있습니다.

일본은 태평양을 사이에 두고 미국과 마주하고 있습니다.

일본은 환태평양 지역의 국가 가운데 하나입니다.

도쿄에서 서울까지의 거리는 약 1,160킬로미터입니다.

서울에서 도쿄까지 비행기로 대략 2시간 30분이 걸립니다.

서울의 공항은 두 곳입니다. 인천 국제공항과 김포 국제공항입니다.

日本のサイズ

☐ 日本は国土は狭く、人口は多いです。

☐ 日本は小さな島国です。

☐ 日本は極東に位置する小さな国です。

☐ 日本の国土は、アメリカ、中国、ロシアと比べると狭いです。

☐ 日本の面積は韓国のおよそ4倍です。

☐ 日本は小さな国で、ドイツより少し大きいです。

☐ 日本の国土はおよそ370,000平方キロです。

☐ 日本の国土は370,000平方キロで、ドイツより少し大きいです。

日本の国力

☐ 日本の面積は小さいですが、経済力は大きいです。

☐ 日本は先進国です。

☐ 日本は小さい島国ですが、経済力は世界第3位です。

☐ 日本は高度にインフラの発展した国です。

☐ 日本はしっかりした教育システムが整っています。

☐ 日本の識字率はとても高いです。

日本の治安

☐ 日本は犯罪が少ないことで知られています。

☐ 日本は犯罪が少ないことで知られています。統計によると、日本全体の犯罪発生件数は、韓国の40％程度です。

일본의 크기

일본은 국토가 좁고 인구는 많습니다.

일본은 작은 섬나라입니다.

일본은 극동에 위치한 작은 나라입니다.

일본의 국토는 미국, 중국, 러시아와 비교하면 좁습니다.

일본의 면적은 한국의 약 4배입니다.

일본은 작은 국가로, 독일보다 조금 큽니다.

일본의 국토는 대략 370,000평방킬로미터입니다.

일본의 국토는 370,000평방킬로미터로, 독일보다 조금 큽니다.

일본의 국력

일본의 면적은 작지만, 경제력은 큽니다.

일본은 선진국입니다.

일본은 작은 섬나라이지만, 경제력은 세계 3위입니다.

일본은 고도의 인프라가 발전한 나라입니다.

일본은 제대로 된 교육 시스템이 갖추어져 있습니다.

일본의 식자율은 매우 높습니다.

일본의 치안

일본은 범죄가 적은 것으로 알려져 있습니다.

일본은 범죄가 적은 것으로 알려져 있습니다. 통계에 따르면 일본 전체의 범죄 발생건수는 한국의 40% 정도입니다.

日本の人口

- [ ] 日本の人口はおよそ1億2千万です。

- [ ] 約1億2千万の人が日本には住んでいます。

- [ ] 日本は人口密度の高い国です。

- [ ] 日本は混み合った国です。

- [ ] 日本は混み合った国です。とくに、東京、大阪に人が集中しています。

- [ ] 日本の人口は1億2千万で、韓国の約2.3倍です。

- [ ] 日本の人口は1億2千万で、面積は韓国の約4倍です。

- [ ] 日本は平地の少ない山がちな国で、そこに1億2千万の人が住んでいます。

日本の地勢

- [ ] 日本は島国です。

- [ ] 日本は島国で、6,800以上の島があります。

- [ ] 日本は主要4島からなる島国です。北から北海道、本州、四国、そして九州です。

- [ ] 日本は島国で、6,800以上の島があります。主な島は北から、北海道、本州、四国、九州です。

- [ ] 日本は南北に長くのびた島国です。

- [ ] 日本は島国で、数えきれないほどの湾や入り江があります。

- [ ] 日本の海岸線は、たくさんの湾や入り江で複雑な地形をしています。

- [ ] 最も大きな島は本州で、東京は本州にあります。

일본의 인구

일본의 인구는 대략 1억 2천만 명입니다.

약 1억 2천만 명이 일본에 살고 있습니다.

일본은 인구밀도가 높은 나라입니다.

일본은 붐비는 나라입니다.

일본은 붐비는 나라입니다. 특히 도쿄, 오사카에 사람이 집중해 있습니다.

일본의 인구는 1억 2천만 명으로, 한국의 약 2.3배입니다.

일본의 인구는 1억 2천만 명으로, 면적은 한국의 약 4배입니다.

일본은 평지가 적고 산이 많은 나라로, 거기에 1억 2천만 명이 살고 있습니다.

일본의 지세

일본은 섬나라입니다.

일본은 섬나라로, 6,800개 이상의 섬이 있습니다.

일본은 주요 4개의 섬으로 된 섬나라입니다. 북쪽에서부터 홋카이도, 혼슈, 시코쿠, 그리고 규슈입니다.

일본은 섬나라로 6,800개 이상의 섬이 있습니다. 주요 섬은 북쪽에서부터 홋카이도, 혼슈, 시코쿠, 규슈입니다.

일본은 남북으로 길게 늘어진 섬나라입니다.

일본은 섬나라로, 셀 수 없을 만큼의 만과 포구가 있습니다.

일본의 해안선은 수많은 만과 포구로 인해 복잡한 지형을 가지고 있습니다.

가장 큰 섬은 혼슈로, 도쿄는 혼슈에 있습니다.

- [ ] 本州は日本で一番大きな島で、イギリスより少し小さいです。

- [ ] 日本は山がちな国です。

- [ ] 日本は平地の少ない山がちな国です。

- [ ] 日本は火山の多い島国です。

- [ ] 日本列島に山が多いのは、火山活動がとても活発な地域に位置しているからです。

- [ ] 日本では多くの地震が起きます。

- [ ] 日本で多くの地震が起きるのは、日本列島が活発な火山活動地帯に位置しているからです。

- [ ] 日本の平地は限られています。

- [ ] 日本は山が多いので、平地はとても限られています。

- [ ] 日本で一番大きな平野は、関東平野です。

- [ ] 日本で一番大きな平野は、東京を囲む関東平野です。

- [ ] 日本で一番大きな平野は関東平野で、江原道とほぼ同じ面積です。

- [ ] 東京を囲む日本で一番大きな平野は関東平野で、江原道とほぼ同じ面積です。

혼슈는 일본에서 가장 큰 섬으로, 영국보다 조금 작습니다.

일본은 산이 많은 나라입니다.

일본은 평지가 적고 산이 많은 나라입니다.

일본은 화산이 많은 섬나라입니다.

일본 열도에 산이 많은 것은 화산 활동이 매우 활발한 지역에 위치해 있기 때문입니다.

일본에서는 많은 지진이 일어납니다.

일본에서 많은 지진이 일어나는 것은 일본 열도가 활발한 화산 활동 지대에 위치해 있기 때문입니다.

일본은 평지가 한정되어 있습니다.

일본은 산이 많고 평지가 매우 한정되어 있습니다.

일본에서 가장 큰 평야는 간토 평야입니다.

일본에서 가장 큰 평야는 도쿄를 둘러싼 간토 평야입니다.

일본에서 가장 큰 평야는 간토 평야로, 강원도와 거의 같은 면적입니다.

도쿄를 둘러싼 일본에서 가장 큰 평야는 간토 평야로, 강원도와 거의 같은 면적입니다.

日本の気候

□ 日本のほぼ全域が温帯に属しています。

□ 日本の気候は基本的には温暖です。

□ 日本の気候は基本的には温暖ですが、北と南では大いに異なります。

□ 日本は北から南まで長くのびているので、気候もさまざまです。

□ 日本の春は快適です。

□ 日本の春は温暖で快適です。

□ 日本を訪れるなら春が最適です。

□ 日本の雨季は梅雨といいます。

□ 日本には梅雨とよばれる雨季があります。

□ 日本には梅雨とよばれる雨季があり、その期間はじめじめしています。

□ 日本の梅雨は6月から7月初旬までです。

□ 梅雨とは雨季のことで、夏の前のその時期、暖かい気流と冷たい気流がぶつかりあいます。

□ 日本の夏は湿度が高いです。

□ 日本の夏は暑いです。

□ 日本の夏はじめじめとしています。

□ 日本の夏は暑くて湿度が高いです。

□ 日本の夏が暑くて湿度が高いのは、熱帯高気圧が暖かい気流を日本のほうに押し上げるからです。

일본의 기후

일본의 거의 전역이 온대에 속해 있습니다.

일본의 기후는 기본적으로 온난합니다.

일본의 기후는 기본적으로 온난하지만, 북쪽과 남쪽은 많이 다릅니다.

일본은 북쪽에서 남쪽까지 길게 늘어져 있어서, 기후도 다양합니다.

일본의 봄은 쾌적합니다.

일본의 봄은 온난하고 쾌적합니다.

일본을 방문한다면 봄이 가장 좋은 시기입니다.

일본의 우기는 장마라고 합니다.

일본에는 장마라고 불리는 우기가 있습니다.

일본에는 장마라고 불리는 우기가 있고, 그 기간은 습기가 많습니다.

일본의 장마는 6월부터 7월 초순까지입니다.

장마란 우기를 말하며, 여름 전 그 시기에 따뜻한 기류와 차가운 기류가 부딪힙니다.

일본의 여름은 습도가 높습니다.

일본의 여름은 덥습니다.

일본의 여름은 습기가 많습니다.

일본의 여름은 덥고 습도가 높습니다.

일본의 여름이 덥고 습도가 높은 것은 열대고기압이 따뜻한 기류를 일본 쪽으로 밀어올리기 때문입니다.

□ 日本には夏から秋の初めにかけて、台風と呼ばれる熱帯低気圧がやってきます。

□ 日本のほかの地域に比べて、北海道は夏でも湿度が低いです。

□ 台風はハリケーンのようなもので、毎夏、太平洋から日本に向けてやってきます。

□ 秋は日本を旅するのにちょうどいい季節です。

□ 日本の秋の天候はとても温暖です。

□ 晩秋になると北海道は寒くなります。

□ 10月になると北海道には初雪が降ることもあります。

□ 京都の紅葉は11月が見ごろです。

□ 九州の冬は比較的穏やかですが、北海道はとても寒いです。

□ 本州の北西部では、冬になるとかなりの量の積雪があります。

□ 日本の北部には、かなりの量の雪が降ります。

□ 日本の北部にはかなりの量の雪が降りますが、東部は冷たい風のため、寒くて乾燥しています。

□ 一般的には、日本を旅するなら天候もよいので春と秋が最適です。

□ 日本では春になると、美しい桜を満喫することができます。

□ ヨーロッパや北米と同様、秋になると山や村では鮮やかな紅葉が楽しめます。

일본에는 여름에서 가을 초에 걸쳐서 태풍이라고 불리는 열대저기압이 찾아옵니다.

일본의 다른 지역과 비교하면, 홋카이도는 여름에도 습도가 낮습니다.

태풍은 허리케인 같은 것으로, 매년 여름 태평양에서 일본을 향해 찾아옵니다.

가을은 일본을 여행하기에 아주 좋은 계절입니다.

일본의 가을은 날씨가 아주 온난합니다.

늦가을이 되면 홋카이도는 추워집니다.

10월이 되면 홋카이도에는 첫눈이 내릴 수도 있습니다.

교토의 단풍은 11월이 적기입니다.

규슈의 겨울은 비교적 따뜻하지만, 홋카이도는 매우 춥습니다.

혼슈의 북서부에서는 겨울이 되면 꽤 많은 양의 눈이 쌓입니다.

樹氷

일본의 북부에는 꽤 많은 양의 눈이 내립니다.

일본의 북부에는 꽤 많은 양의 눈이 내리지만, 동부는 차가운 바람 때문에 춥고 건조합니다.

일반적으로는 일본을 여행한다면, 날씨가 좋은 봄과 가을이 가장 좋은 시기입니다.

일본에서는 봄이 되면, 아름다운 벚꽃을 만끽할 수 있습니다.

유럽이나 북미처럼, 가을이 되면 산과 마을에서는 선명한 단풍을 즐길 수 있습니다.

日本語

- ☐ 日本語がどこからきたのか、正確なことはわかっていません。

- ☐ 韓国人やアジア北部の人々が似た言葉を話しています。

- ☐ 日本語は、2千年にわたって小さな島々の中で、孤立していました。

- ☐ 何年も前に、日本は漢字という中国の文字を輸入しました。

- ☐ 日本は漢字という中国の文字を輸入し、それは今日でも日本語の書き文字として使われています。

- ☐ 漢字は、日本語の文章に組み込まれて使われます。

- ☐ 漢字は、日本語の文章に組み込まれて使われますが、そのとき中国語の文法の影響はいっさい受けません。

- ☐ 日本語は中国語とはまったく異なる言語です。

- ☐ 日本語と中国語は、実はまったく異なる言語なのです。

- ☐ 日本語と中国語は異なる言語なので、中国語の文法に左右されずに漢字を使うことができます。

- ☐ 日本語は中国語とはまったく異なる言語ですが、書き文字として漢字を取り入れました。

- ☐ 中国本土では、簡単にした中国語が使われています。それらの文字は日本の漢字とはまったく異なります。

- ☐ ひとつの漢字に対して2つの発音があります。

- ☐ ひとつの漢字に対して2つの発音があります。中国風の読み方を音読み、日本風に変更したものを訓読みといいます。

- ☐ 日本が漢字を採用したのもずっと昔のことなので、音読みも現在の中国語の発音とは異なります。

일본어

일본어가 어디에서 왔는지, 정확한 것은 알 수 없습니다.

한국인이나 아시아 북부 사람들이 비슷한 말을 하고 있습니다.

일본어는 2천 년에 걸쳐 작은 섬 안에서 고립되어 있었습니다.

오래 전에 일본은 한자라는 중국 문자를 수입했습니다.

일본은 한자라는 중국의 문자를 수입했고, 그것은 지금도 일본어의 글자로 사용되고 있습니다.

한자는 일본어의 문장에 포함되어 사용됩니다.

한자는 일본어의 문장에 포함되어 사용되지만, 그때 중국어 문법의 영향은 일절 받지 않습니다.

일본어는 중국어와는 전혀 다른 언어입니다.

일본어와 중국어는 사실 전혀 다른 언어인 것입니다.

일본어와 중국어는 다른 언어이기에 중국어 문법에 좌우되지 않고 한자를 사용할 수 있습니다.

일본어는 중국어와는 전혀 다른 언어이지만, 글자로서 한자를 도입했습니다.

중국 본토에서는 간략한 중국어가 사용되고 있습니다. 그 문자들은 일본의 한자와는 전혀 다릅니다.

하나의 한자에 대응하는 2개의 발음이 있습니다.

하나의 한자에 대응하는 2개의 발음이 있습니다. 중국식으로 읽는 법을 음독, 일본식으로 변경된 것을 훈독이라고 합니다.

일본이 한자를 채용한 것도 아주 오래 전이어서, 음독도 현재 중국어의 발음과는 다릅니다.

☐ 音読みは1700年以上にわたって日本語のなかで確立されてきたので、中国人も理解することはできません。

☐ 漢字のほかに、日本人はカタカナとひらがなを使います。

☐ 日本人はカタカナとひらがなという独自の表音文字を考案しました。

☐ カタカナもひらがなも、漢字をもとにして発達したものです。

☐ カタカナもひらがなも、漢字の表記から発達したものです。

☐ ひらがなは毎日の書き文字として使われています。

☐ ひらがなは毎日の書き文字に使われ、カタカナは外来語を表すときに使われます。

☐ 以前、カタカナは公式の書類などで使われていましたが、今では外来語を表すときに使われています。

伊 ➡ い
呂 ➡ ろ
波 ➡ は
仁 ➡ に

☐ 日本人は書くときに、漢字、カタカナ、ひらがなを一緒に使います。

☐ 日本はその歴史を通して、外国語を受け入れ、（日本風に）変更してきました。

☐ 昔は、数えきれないほどの言葉が、中国から輸入され、日本語に組み込まれていきました。

☐ 輸入された言葉や表現は、外来語と呼ばれます。

☐ 外来語は日本語の文法構造に組み込まれています。

☐ 外来語はカタカナで表記され、日本式に発音します。

음독은 1,700년 이상에 걸쳐서 일본어 안에 확립되어 왔기 때문에 중국인도 이해할 수 없습니다.

한자 이외에, 일본인은 가타카나와 히라가나를 사용합니다.

일본인은 가타카나와 히라가나라는 독자의 표음문자를 고안했습니다.

가타카나도 히라가나도 한자를 기본으로 하여 발달한 것입니다.

가타카나도 히라가나도 한자의 표기에서 발달한 것입니다.

히라가나는 일상적인 글자로 사용되고 있습니다.

히라가나는 일상적인 글자로 사용되고, 가타카나는 외래어를 나타낼 때 사용됩니다.

예전에 가타카나는 공식적인 서류 등에 사용되었지만, 지금은 외래어를 나타낼 때 사용되고 있습니다.

일본인은 글을 쓸 때 한자, 가타카나, 히라가나를 함께 사용합니다.

일본은 역사적으로 외국어를 받아들여 (일본식으로) 변경해 왔습니다.

옛날에는 셀 수 없을 만큼의 단어가 중국에서 수입되어 일본어에 포함되어 왔습니다.

수입된 단어나 표현은 외래어라고 불립니다.

외래어는 일본어의 문법구조에 포함되어 있습니다.

외래어는 가타카나로 표기되고 일본식으로 발음합니다.

知っておくと役に立つ韓国語講座［１］

◆ 韓国語の数

　韓国語で数を表すには、２つの方法があります。ひとつは漢数詞で、もうひとつは固有数詞です。

漢数詞

0	1	2	3	4	5	6	7	8	9	10
영/공*	일	이	삼	사	오	육	칠	팔	구	십
11	20	30	40	50	60	70	80	90	100	
십일	이십	삼십	사십	오십	육십	칠십	팔십	구십	백	
1,000	10,000	100,000	1,000,000							
천	만	십만	백만							

＊영は日本語でいう「零」にあたり数式など、공は「マル」にあたり電話番号を伝える際などで、使い分けられる場合が多い。

　漢数詞は電話番号・バスの番号・部屋番号・身長・体重・年度・月・日・時間の分と秒、物の値段などを表すときに使用されます。

固有数詞

1	2	3	4	5	6	7	8	9	10
하나 (=한)	둘 (=두)	셋 (=세)	넷 (=네)	다섯	여섯	일곱	여덟	아홉	열
11	20	30	40	50	60	70	80	90	100
열하나	스물 (=스무)	서른	마흔	쉰	예순	일흔	여든	아흔	백

　韓国の固有数詞は事物や人を数えるとき、単位を表す名詞と共に使用されますが、固有数詞の後ろに 명（人）、마리（匹）、개（個）、살（歳）、병（〔瓶など〕本）、잔（杯）……

のような単位名詞をつけて使います。このとき、数詞の後ろに単位名詞が来ると、하나
→ 한, 둘 → 두, 셋 → 세, 넷 → 네, 스물 → 스무 に変わり、학생 한 명（学生１人）、개 두 마
리（犬２匹）、커피 세 잔（コーヒー３杯）、콜라 네 병（コーラ４本）、사과 스무 개（りん
ご20個）……のような形になります。

　また、日本語で「一日前」「二日後」のように「○日前（전）／後（후）／間（동안）」と日
数を数えるときは、하루（一日）、이틀（二日）、사흘（三日）、나흘（四日）、닷새（五日）、엿
새（六日）、이레（七日）、여드레（八日）、아흐레（九日）、열흘（十日）、…… 보름（十五日）
という固有数詞を使います。ちなみに韓国の若い世代では、「사흘」の「사」を漢数詞の
「四」と勘違いして「四日」と混同することもあるようです。

◆ 時間の読み方

1：00	2：00	3：00	4：00	5：00	6：00
한 시	두 시	세 시	네 시	다섯 시	여섯 시
7：00	8：00	9：00	10：00	11：00	12：00
일곱 시	여덟 시	아홉 시	열 시	열한 시	열두 시

1：05	1：15	1：30	1：35
한 시 오 분	한 시 십오 분	한 시 삼십 분 = 한 시 반	한 시 삼십오 분
1：40	1：45	1：50	1：55
한 시 사십 분	한 시 사십오 분	한 시 오십 분 = 두 시 십 분 전	한 시 오십오 분 = 두 시 오 분 전

　「～時」は 한 시, 두 시, 세 시, 네 시, 다섯 시, 여섯 시, 일곱 시, 여덟 시, 아홉 시, 열 시,
열한 시, 열두 시 のように固有数詞を使い、「～分」は 일 분, 이 분, 십 분……のように漢
数詞を使います。動作が行われた時刻を言うときは、時刻の後に助詞 에 をつけます。
（例：일곱 시에 일어나요. ７時に起きます）

　日本語ほど使う機会は多くありませんが、韓国でも映画や試合の開始時刻、軍隊な
どでは１～24時で時間を表すこともあり、その場合は漢数詞を使って 십육 시 십오 분
（16時15分）のように表します。

知っておきたい韓国のこと❶

韓国の名字の由来

　韓国の名字（姓氏）は中国から由来したもので、2015年の調査によると帰化した外国人の名字を含め、韓国には計5,582個の名字があるそうです（ちなみに日本は10万を超える名字大国！）。その中で「金（김）、李（이）、朴（박）、崔（최）、鄭（정）」の5つの名字が全人口の過半数を占めます。具体的には金（21.6％）、李（14.8％）、朴（8.5％）、崔（4.7％）、鄭（4.4％）の順で、いわば韓国人の5人に1人は「金氏」です。

　韓国は名字ごとに「本貫」（同じ父系氏族集団の発祥の地）を持っていて、本貫はその地域や土地と連携しています。つまり、同じ名字でも本貫が違えば、同じ血族とはみなされません。例えば、同じ金氏でも「金海金氏」と「慶州金氏」は本貫が違うので互いに異なる血族です。今は廃止されましたが、韓国には1990年代までは儒教思想から由来した「同姓同本の結婚禁止」条項がありました。同姓同本というのは名字と本貫が同じことで、つまり同じ「金海金氏」同士は全く見ず知らずの人でも結婚が禁止されていたのです。

　韓国の名字は父系血統の表示として父親の姓に従い、結婚しても一生変わりませんでした。しかし、時代の移り変わりに伴って、両親の名字を一緒に使う（例えば「キム氏」の父と「イ氏」の母なら「キムイ○○」と名乗る）人もいれば、母親の名字に従うことも場合によっては可能になりました。漢字で表記できないハングルの名字、帰化した外国人が新しく作った名字も増えています。

第 2 章

日本を楽しむ

日本の世界遺産
日本の魅力
日本の今を楽しむ
日本食を楽しむ

世界遺産マップ

日本の世界遺産は25ヵ所で、そのうち5ヵ所（屋久島、白神山地、知床、小笠原諸島、奄美・沖縄）が、自然遺産に登録されています。

奈良
法隆寺地域の仏教建造物
☞ 호류지 지역의 불교 건조물 *p.41*

京都・滋賀
古都京都の文化財
☞ 고도 교토의 문화재 *p.41*

兵庫
姫路城
☞ 히메지조 *p.41*

島根
石見銀山遺跡とその
文化的景観
☞ 이와미긴잔 유적과 그
문화적 경관 *p.43*

福岡
「神宿る島」宗像・
沖ノ島と関連遺産群
☞ [신이 머무는 섬] 무나카타・오
키노시마와 관련 유산군
p.45

広島
厳島神社
☞ 이쓰쿠시마 신사 *p.43*

広島
原爆ドーム
☞ 원폭 돔 *p.43*

鹿児島
屋久島
☞ 야쿠시마 *p.43*

大阪
百舌鳥・古市古墳群
☞ 모즈・후루이치 고분군
p.47

和歌山・奈良・三重
紀伊山地の霊場と参詣道
☞ 기이 산지의 영험함이 깃든 곳과 참배길 *p.41*

奈良
古都奈良の文化財
☞ 고도 나라의 문화재
p.41

長崎・熊本
長崎と天草地方の潜伏キリシタン
関連遺産群
☞ 나가사키와 아마쿠사 지방의 은신 기독교도 관련
유산군 *p.47*

沖縄
琉球王国のグスク及び関連遺産群
☞ 류큐 왕국의 구스쿠와 관련 유산군 *p.43*

鹿児島・沖縄
奄美大島、徳之島、沖縄北部及び西表島
☞ 아마미오시마, 도쿠노시마, 오키나와 북부와
이리오모테지마 *p.47*

北海道・青森・岩手・秋田
北海道・北東北の縄文遺跡群
☞ 홋카이도・기타 도호쿠의 조몬 유적군
p.47

北海道
知床
☞ 시레토코 p.39

岐阜・富山
白川郷・五箇山の
合掌造り集落
☞ 시라가와고・고카
야마의 가쇼즈쿠리
집락 p.39

青森・秋田
白神山地
☞ 시라카미 산지 p.39

岩手
平泉—仏国土（浄土）を表す建築・庭園
及び考古学的遺跡群
☞ 히라이즈미 / 불국토(정토)를 나타내는 건축,
정원과 고고학적 유적군 p.43

栃木
日光の社寺
☞ 닛코의 사찰과 신사 p.39

群馬
富岡製糸場と絹産業遺産群
☞ 도미오카 제사장과 비단 산업 유산
군 p.45

東京
ル・コルビュジエの建築作品—近代建築運動への
顕著な貢献
☞ 르 코르뷔지에의 건축 작품 - 근대 건축 운동에의 현저한 공
헌 p.45

静岡・山梨
富士山—信仰の対象と芸術の源泉
☞ 후지산 - 신앙의 대상과 예술의 원천 p.45

東京
小笠原諸島
☞ 오가사와라 제도 p.45

福岡・佐賀・長崎・熊本・鹿児島・山口・岩手・静岡
明治日本の産業革命遺産—製鉄・製鋼，造船，石炭産業
☞ 메이지 일본의 산업혁명 유산 - 제철・제강, 선박, 석탄산업 p.45

37

日本の世界遺産

日本の世界遺産の登録数は、25件で世界11位です。一方、韓国には文化遺産が13件と自然遺産が2件、計15件の世界遺産があります。

概要

☐ 日本にはユネスコの世界遺産が25ヵ所あります。自然の価値を認めた世界遺産が5ヵ所あり、その他の20ヵ所は文化遺産です。

知床

☐ 知床半島では、素晴らしい自然と野生生物を見ることができます。

☐ 知床半島はその美しい自然と野生生物が認められ、世界遺産に認定されています。

白神山地

☐ 青森と秋田の境に白神山地はあり、野生ブナ林と山が世界遺産に認定されています。

☐ 白神山地は、貴重なブナ林で覆われた山と自然で、ユネスコの世界遺産に認定されています。

日光の社寺

☐ 日光には山、湖、温泉、有名な社寺があり、よく知られた国立公園で世界遺産にも指定されています。

☐ 日光は栃木県にあり、徳川幕府の初代将軍である徳川家康を祀る東照宮のほかに、その自然の豊さでも有名です。

白川郷と五箇山

☐ 白川郷と五箇山は、急傾斜のかや葺き屋根のある伝統的な家があることから、世界遺産に指定されています。

☐ 白川郷や五箇山周辺には、合掌造りの集落が点在しています。

개요

일본에는 유네스코 세계유산이 25개 있습니다. 자연의 가치를 인정받은 세계유산이 5개, 그 외의 20개는 문화유산입니다.

시레토코

시레토코 반도에서는 대단한 자연과 야생생물을 볼 수 있습니다.

시레토코 반도는 아름다운 자연과 야생생물이 인정받아 세계유산에 확정되었습니다.

시라카미 산지

아오모리와 아키타의 경계에 시라카미 산지가 있고, 야생 너도밤나무 숲과 산이 세계유산으로 인정받았습니다.

시라카미 산지는 귀중한 너도밤나무 숲으로 뒤덮인 산과 자연으로 유네스코 세계유산으로 인정받았습니다.

닛코의 신사와 사찰

닛코에는 산, 호수, 온천, 유명한 신사와 사찰이 있고, 잘 알려진 국립공원으로 세계유산으로도 지정되어 있습니다.

닛코는 도치기 현에 있고, 도쿠가와 막부의 초대 쇼군 도쿠가와 이에야스를 모시는 도쇼구, 그 밖에 자연의 풍요로움으로도 유명합니다.

시라카와고와 고카야마

시라카와고와 고카야마는 경사가 가파른 초가지붕으로 된 전통 가옥이 있어 세계유산으로 지정되었습니다.

시라카와고와 고카야마 주변에는 가쇼즈쿠리로 지은 집단부락이 산재해 있습니다.

熊野古道

☐ 紀伊半島にある熊野古道は、古くからの巡礼の道で、ユネスコ世界遺産に登録されています。

☐ 熊野古道は、紀伊半島の深い森や谷に点在する隠れた社寺と伊勢神宮を結んでいます。

古都京都

☐ 寺、神社、古民家、そして昔ながらの雰囲気が残る京都は、世界でも最も有名な世界遺産です。

☐ 京都はかつての日本の首都というだけではありません。伝統工芸や儀式の中心地でもあるのです。

古都奈良

☐ 奈良とその周辺には古代からの寺が残っており、ユネスコの世界遺産に登録されています。

☐ 奈良は、古代シルクロードの終点であることから、世界遺産に登録されています。

☐ 奈良周辺には、インド、中国、さらには古代西洋人の影響を受けて1000年以上前にできた村が点在しています。

法隆寺

☐ 法隆寺周辺は、ユネスコの世界遺産に登録されています。法隆寺が大陸の影響を受けた世界最古の木造建築だからです。

☐ 法隆寺とその周辺を斑鳩（いかるが）と呼び、ここは7世紀初頭、聖徳太子が日本を治めた地でもあります。

姫路城

☐ 姫路城はその美しいたたずまいで知られ、世界遺産となっています。

☐ 姫路城は17世紀に築城され、その美しさとエレガントさから、白鷺城（しらさぎじょう）とも呼ばれます。

구마노 고도

기이 반도에 있는 구마노 고도는 오랜 순례길로 유네스코 세계유산으로 등재되어 있습니다.

구마노 고도는 기이 반도의 깊은 숲과 계곡에 흩어져 있는 숨겨진 신사, 사찰과 이세진구를 연결하고 있습니다.

고도 교토

사찰, 신사, 옛 민가, 그리고 옛날의 정취가 남아 있는 교토는 세계에서도 가장 유명한 세계유산입니다.

교토는 과거 일본의 수도였을 뿐만이 아닙니다. 전통 공예와 의식의 중심지이기도 합니다.

고도 나라

나라와 그 주변에는 고대의 사찰이 남아 있어 유네스코 세계유산으로 등재되었습니다.

나라는 고대 실크로드의 종점이었기 때문에 세계유산으로 등재되었습니다.

나라 주변에는 인도, 중국, 심지어 고대 서양인들의 영향을 받은 1,000여 년 전에 생긴 마을이 산재해 있습니다.

호류지

호류지 주변은 유네스코 세계유산에 등재되어 있습니다. 호류지가 대륙의 영향을 받은 세계에서 가장 오래된 목조 건축이기 때문입니다.

호류지와 그 주변을 이카루가라고 부르며, 이곳은 7세기 초 쇼토쿠 태자가 일본을 다스린 땅이기도 합니다.

히메지조

히메지조는 그 아름다운 모습이 알려져 세계유산이 되었습니다.

히메지조는 17세기에 축성되었는데, 아름다움과 우아함 때문에 시라사기조라고도 합니다.

広島平和記念公園

☐ 平和記念公園は、原爆が落とされた広島市中央にあり、世界遺産になっています。

☐ 平和記念公園には、原爆ドームとよばれる原爆被害を受けた建物と、原爆資料を展示したミュージアムがあります。

石見銀山

☐ 石見銀山とその周辺は、2007年に世界遺産に登録されました。

☐ 石見銀山は、開発された16世紀当時、世界最大の銀山でした。鉱山だけでなく、周囲の町や建物などもよく保存されています。

厳島神社

☐ 12世紀にできた厳島神社は、神道で神聖な場所とされる宮島の海辺に建立されました。

☐ 広島の西に位置する厳島神社は、1996年に世界遺産に登録されました。

屋久島

☐ 屋久島は、鹿児島県沖の南西諸島の一部です。自生のスギや険しい山などが、1993年に世界遺産に登録されました。

☐ 屋久島は、貴重な森林、野生生物、山などあらゆるものが小さな島に集中しているという点で、他にはない場所です。

琉球王国のグスク

☐ 沖縄の島々に点在するグスクと呼ばれる琉球王国時代の城や遺跡では、中国の影響のある見事な建築を見ることができます。2000年に世界遺産となりました。

☐ 復元された首里城では、かつての独立王朝時代の雰囲気を味わうことができましたが、2019年の火災によって焼失してしまいました。

平泉

☐ 平泉とその周辺地域は、古代の仏教寺院によって2011年に世界遺産に登録されました。

☐ 平泉は岩手県に位置しています。この町は、平安時代末期、東北地方の中心地として栄えました。中尊寺は9世紀に建てられ、今でも当時の荘厳さを残しています。

히로시마 평화기념공원

평화기념공원은 원폭이 떨어진 히로시마 시 중앙에 있고, 세계유산이 되었습니다.

평화기념공원에는 원폭돔이라 불리는 원폭 피해를 받은 건물과 원폭 자료를 전시한 박물관이 있습니다.

이와미긴잔

이와미긴잔과 그 주변은 2007년에 세계유산으로 등재되었습니다.

이와미긴잔은 개발된 16세기 당시 세계 최대의 은 광산이었습니다. 광산뿐만 아니라 주위의 마을과 건물 등도 잘 보존되어 있습니다.

이쓰쿠시마 신사

12세기에 세워진 이쓰쿠시마 신사는 신도에서 신성한 장소로 여겨지는 미야지마 해변에 건립되었습니다.

히로시마의 서쪽에 위치한 이쓰쿠시마 신사는 1996년에 세계유산으로 등재되었습니다.

야쿠시마

야쿠시마는 가고시마 현 앞바다 난세이 제도의 일부입니다. 자생 삼나무와 험준한 산 등이 1993년에 세계유산으로 등재되었습니다.

야쿠시마는 귀중한 삼림, 야생생물, 산 등 모든 것이 작은 섬에 집중되어 있다는 점에서 비할 데 없는 곳입니다.

류큐 왕국의 구스쿠

오키나와 섬에 흩어져 있는 구스쿠라고 불리는 류큐 왕국 시대의 성과 유적에서는 중국의 영향이 있는 훌륭한 건축물을 볼 수 있습니다. 2000년에 세계유산이 되었습니다.

복원된 슈리조에서는 과거 독립 왕조 시대의 분위기를 느낄 수 있었지만, 2019년에 화재로 소실되었습니다.

히라이즈미

히라이즈미와 그 주변 지역은 고대 불교 사원으로 인해 2011년에 세계유산으로 등재되었습니다.

히라이즈미는 이와테 현에 위치해 있습니다. 이 마을은 헤이안 시대 말기 동북 지방의 중심지로 번창했습니다. 주손지는 9세기에 건립되어 지금도 당시의 장엄함을 간직하고 있습니다.

小笠原諸島

☐ 小笠原諸島は東京の南、約1000キロに点在します。小笠原諸島は独自の自然が残り、太平洋と日本の文化が混在することで知られています。2011年に世界遺産に登録されました。

☐ 小笠原諸島は、東京の南の太平洋上に位置しています。その中のひとつ、硫黄島は、太平洋戦争のとき、激しい戦場となったことで知られています。

富士山

☐ 富士山は、日本で17番目の世界遺産です。

☐ 富士山は自然だけでなく、信仰や芸術を生み出した山としても価値が認められました。

富岡製糸場

☐ 富岡製糸場は、日本発の本格的な機械製糸の工場です。

☐ 富岡製糸場は、1872年の開業当時の様子がよく保存されています。

明治日本の産業革命遺産

☐ 幕末から明治にかけて日本が急速な産業化を成し遂げたことを示す遺産群です。遺産は8つの県に点在しています。

☐ 製鉄・製鋼業、造船業、石炭産業は日本の基幹産業です。

ル・コルビュジエの建築作品

☐ ル・コルビュジエはパリを拠点に活躍した建築家です。日本からは国立西洋美術館の建築が世界遺産に登録されました。

☐ 国立西洋美術館は東京の上野公園にあり、西洋美術を専門とする日本で唯一の国立美術館です。

宗像・沖ノ島

☐ 福岡県にある沖ノ島や関連する史跡群は、自然崇拝を現代まで継承している点が評価されて、世界遺産になりました。

☐ 沖ノ島は、島そのものが神として崇拝されているため、特別な許可がない限り上陸することはできません。

오가사와라 제도

오가사와라 제도는 도쿄의 남쪽, 약 1,000킬로미터에 흩어져 있습니다. 오가사와라 제도에는 독자적인 자연이 남아 있고, 태평양과 일본의 문화가 혼재하는 것으로 알려져 있습니다. 2011년에 세계유산으로 등재되었습니다.

오가사와라 제도는 도쿄 남쪽 태평양 상에 위치해 있습니다. 그 중 하나인 이오지마는 태평양전쟁 당시 치열한 전쟁터가 된 것으로 알려져 있습니다.

후지산

후지산은 일본에서 17번째의 세계유산입니다.

후지산은 자연뿐만 아니라 신앙이나 예술을 태동한 산으로도 가치를 인정받았습니다.

도미오카 제사장

도미오카 제사장은 일본의 본격적인 기계 제사 공장입니다.

도미오카 제사장에는 1872년 개업 당시의 모습이 잘 보존되어 있습니다.

메이지 일본의 산업혁명 유산

막부 말기부터 메이지에 걸쳐 일본이 급속한 산업화를 이루었음을 보여주는 유산군입니다. 유산은 8개 현에 산재해 있습니다.

제철·제강업, 조선업, 석탄산업은 일본의 기간산업입니다.

르 코르뷔지에의 건축 작품

르 코르뷔지에는 파리를 거점으로 활약한 건축가입니다. 일본에서는 국립 서양미술관 건축이 세계유산으로 등재되었습니다.

국립 서양미술관은 도쿄의 우에노 공원에 있으며, 서양 미술을 전문으로 하는 일본의 유일한 국립 미술관입니다.

무나카타 · 오키노시마

후쿠오카 현에 있는 오키노시마와 관련된 사적군은 자연숭배를 현대에까지 계승하고 있는 점을 평가받아 세계유산이 되었습니다.

오키노시마는 섬 자체가 신으로 숭배되고 있기 때문에 특별한 허가가 없는 한 상륙할 수 없습니다.

長崎と天草地方

☐ 長崎県と熊本県の天草地方には「潜伏キリシタン」の遺産が多く残っています。

☐ 「潜伏キリシタン」とは、かつて禁止されていたキリスト教の信仰を密かに守り続けた人々のことです。

百舌鳥・古市古墳群

☐ 大阪府にある大小さまざまな形をした49基の古墳は、2019年に世界遺産に登録されました。

☐ 古墳とは、日本の古代につくられたお墓のことで、埋葬された人の身分によってその大きさや形が異なります。

奄美・沖縄

☐ 鹿児島県の奄美大島と徳之島、沖縄県の沖縄本島の北部と西表島の4島が世界遺産に登録されました。

☐ 多様な生物の生息地として評価された4つの島には、絶滅危惧種に指定されている生物もいます。

北海道・北東北の縄文遺跡群

☐ 北海道、青森、岩手、秋田にある縄文時代の遺跡群が2021年に世界遺産に登録されました。

☐ これらの遺跡は、狩りや漁、植物の採集によって定住していた縄文時代の人々の生活と精神文化を示しています。

青森県の三内丸山遺跡

나가사키와 아마쿠사 지방

나가사키 현과 구마모토 현의 아마쿠사 지방에는 은신 기독교도의 유산이 많이 남아 있습니다.

은신 기독교도란 과거에 금지되었던 기독교 신앙을 비밀리에 계속 지킨 사람들을 말합니다.

모즈 · 후루이치 고분군

오사카 부에 있는 크고 작은 형태의 49기의 고분은 2019년에 세계유산으로 등재되었습니다.

고분은 일본 고대에 만들어진 무덤으로, 매장된 사람의 신분에 따라 그 크기와 모양이 다릅니다.

아마미 · 오키나와

가고시마 현의 아마미오시마와 도쿠노시마, 오키나와 현의 오키나와 본섬 북부와 이리오모테지마의 4개 섬이 세계유산으로 등록되었습니다.

다양한 생물 서식지로 평가된 4개 섬에는 멸종 위기종으로 지정된 생물도 있습니다.

홋카이도 · 기타 도호쿠의 조몬 유적군

홋카이도, 아오모리, 이와테, 아키타에 있는 조몬 시대 유적군이 2021년에 세계유산으로 등록되었습니다.

이 유적들은 사냥과 고기잡이, 식물 채집을 통해 정착했던 조몬 시대 사람들의 생활과 정신문화를 보여줍니다.

日本の温泉と旅館

일본의 온천과 료칸

主な温泉地

❶ 登別	노보리베쓰
❷ 酸ケ湯	스카유
❸ 花巻	하나마키
❹ 蔵王	자오
❺ 秋保	아키우
❻ 飯坂	이자카
❼ 鬼怒川	기누가와
❽ 四万	시마
❾ 伊香保	이카호
❿ 草津	구사쓰
⓫ 熱海・湯河原	아타미, 유가와라
⓬ 修善寺	슈젠지
⓭ 箱根	하코네
⓮ 奥飛騨	오쿠히다

⓯ 別所	벳소
⓰ 和倉	와쿠라
⓱ 下呂	게로
⓲ 城崎	기노사키
⓳ 有馬	아리마
⓴ 湯の峰	유노미네
㉑ 道後	도고
㉒ 別府・湯布院	벳부, 유후인
㉓ 黒川	구로가와
㉔ 指宿	이부스키

(☞ 온천 p.53)

목욕탕
風呂
(＊大浴場なら：대욕장)

료칸
旅館

료칸의 스태프
旅館のスタッフ

(☞ 료칸 p.55)

반토(지배인)
番頭

요리사
料理人

오카미
女将

나카이 가시라
仲居頭

나카이
仲居

방
部屋

식사
食事
(＊夕食なら：저녁식사)

49

日本の家屋

(☞ 일본 가옥 *p.55*)

일본의 가옥

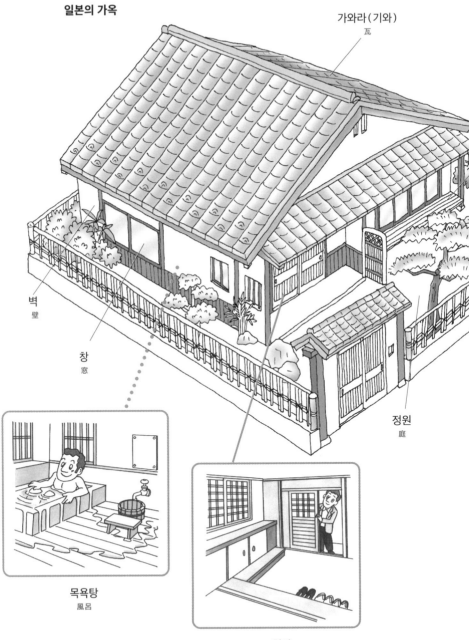

가와라 (기와)
瓦

벽
壁

창
窓

정원
庭

목욕탕
風呂

현관
玄関

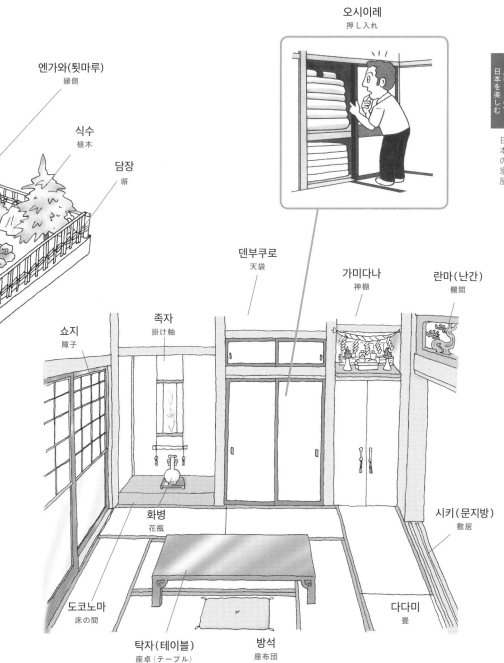

오시이레
押し入れ

엔가와(툇마루)
縁側

식수
植木

담장
塀

덴부쿠로
天袋

가미다나
神棚

란마(난간)
欄間

족자
掛け軸

쇼지
障子

화병
花瓶

시키(문지방)
敷居

도코노마
床の間

탁자(테이블)
座卓（テーブル）

방석
座布団

다다미
畳

51

日本の魅力

日本では全国至るところに温泉があります。温泉宿は、部屋、食事、庭など、日本らしさが満載です。

温泉

□ 日本人は温泉が大好きです。

□ 日本は火山列島なので、温泉が国の至るところにあります。

□ 日本人は、全国各地の温泉を楽しみます。

□ 温泉は日本では至るところにあります。

□ 温泉は日本では至るところにあります。温泉は山間の渓谷だけでなく、海岸沿いにもあります。

□ 温泉保養地を訪れると、日本の都市部にはない落ち着いた地域色を感じるでしょう。

□ 温泉は健康維持のために日本人に楽しまれています。というのも、温泉には地域によって様々な種類のミネラルが含まれているからです。

□ 多くの場合、旅館に泊まって温泉を楽しみます。

□ 温泉は旅館の中にもあります。すなわち、旅館で温泉に入浴できるのです。

□ 体を癒すために長期にわたって温泉地に滞在する人もいます。

□ 湯治とは、病気を治すために長期間温泉に滞在することです。

□ 東京のような都市では、銭湯という公衆浴場があります。

南紀勝浦の温泉風景

湯布院の露天風呂

온천

일본인은 온천을 아주 좋아합니다.

일본은 화산열도이기 때문에 온천이 전국 곳곳에 있습니다.

일본인은 전국 각지의 온천을 즐깁니다.

온천은 일본 곳곳에 있습니다.

온천은 일본 곳곳에 있습니다. 온천은 산간 계곡뿐만 아니라 해안가에도 있습니다.

온천 휴양지를 방문하면, 일본의 도시 지역에는 없는 차분한 지역색을 느낄 것입니다.

온천은 건강 유지를 위해 일본인들이 즐기고 있습니다. 그 이유는 온천에는 지역에 따라 다양한 종류의 미네랄이 함유되어 있기 때문입니다.

많은 경우 료칸에 머물며 온천을 즐깁니다.

온천은 료칸 안에도 있습니다. 즉, 료칸에서 온천욕을 할 수 있는 것입니다.

몸을 치유하기 위해 장기간 온천지에 머무는 사람도 있습니다.

탕치란 병을 고치기 위해 장기간 온천에 머무는 것을 말합니다.

도쿄 같은 도시에서는 센토라는 공중 목욕탕이 있습니다.

旅館

☐ 旅館は伝統的な日本の宿泊所です。

☐ 旅館では伝統的な部屋で日本式の娯楽を楽しむことができます。

☐ 多くの旅館では、夕食と朝食は（宿泊費に）含まれています。

☐ 一般的に、旅館では伝統的な日本食が振る舞われます。

☐ 旅館の中には伝統的な日本建築や庭園があります。

☐ 多くの旅館では施設の中に温泉があります。

☐ 午後、旅館にチェックインしたら、温泉に入ったり散策してから、酒やビールで夕食を楽しむことができます。

☐ ほとんどの場合、旅館では伝統的な日本の寝具である布団で寝ます。

☐ 布団は旅館の従業員が部屋に敷きます。

☐ 夕食を終えてからまた温泉を楽しむことができます。部屋を出ている間に、布団を敷いてくれます。

☐ ほとんどの旅館では、朝食前に布団を片付けます。

☐ 旅館のチェックアウト時間は概して、普通のホテルよりも早いです。

☐ 主要都市の観光地には、英語の通じる旅館がいくつかあります。

☐ 素泊まりとは、食事をつけずに旅館に泊まることです。

日本家屋

☐ 伝統的な日本家屋は木造です。

☐ 伝統的な日本家屋は、あらゆる箇所を熟練した大工が施工します。

료칸

료칸은 전통적인 일본의 숙박업소입니다.

료칸에서는 전통적인 방에서 일본식 오락을 즐길 수 있습니다.

많은 료칸에서는 저녁식사와 아침식사를 (숙박비에) 포함하고 있습니다.

일반적으로 료칸에서는 전통적인 일식이 차려집니다.

료칸 안에는 전통적인 일본 건축과 정원이 있습니다.

많은 료칸에서는 시설 중에 온천이 있습니다.

오후에 료칸에 체크인하면, 온천을 하거나 산책을 하고 나서 일본주나 맥주를 곁들인 저녁식사를 즐길 수 있습니다.

대부분의 경우 료칸에서는 전통적인 일본의 침구인 이부자리에서 잠을 잡니다.

이부자리는 료칸의 종업원이 방에 깝니다.

저녁식사가 끝나고 나서 다시 온천을 즐길 수 있습니다. 방을 나선 사이에 이부자리를 깔아 줍니다.

대부분의 료칸에서는 아침식사 전에 이부자리를 갭니다.

료칸의 체크아웃 시간은 대체로 일반 호텔보다 빠릅니다.

주요 도시의 관광지에는 영어가 통하는 료칸이 몇 군데 있습니다.

스도마리는 식사를 하지 않고 료칸에 머무는 것입니다.

일본 가옥

전통적인 일본 가옥은 목조입니다.

전통적인 일본 가옥은 모든 곳을 숙련된 목수가 시공합니다.

- [ ] 伝統的な家屋を維持するのはとても費用がかかります。

- [ ] もし日本で本格的な日本式の家屋を体験したければ、寺を訪れるか旅館という宿泊施設を利用してください。

- [ ] 京都には町屋という伝統的な日本の商家が多くあります。

畳

- [ ] 伝統的な日本間の床は畳が敷かれています。

- [ ] 畳は柔らかいイ草を織ってつくられます。

- [ ] 畳は日本独特のもので、柔らかいイ草を織ってつくられています。

- [ ] 畳は暑くて湿気の多い夏に適しています。というのも、織ったイ草は通気がよく、肌触りが涼しいからです。

- [ ] 畳は夏だけでなく冬にも適しています。というのも、家の底部を断熱し保温するからです。

瓦

- [ ] 伝統的な日本家屋の屋根は瓦で覆われています。

- [ ] 瓦は寺院建築に伴って、中国から伝来しました。

- [ ] 古い日本家屋は古民家と呼ばれ、非常に数が少なく貴重なものです。

襖

- [ ] 伝統的な日本間は襖というスライド式のドアで仕切られています。

- [ ] 襖とはスライドするドアのことです。

- [ ] 襖は和紙という伝統的な日本の紙で覆われています。

押し入れ

- [ ] 多くの日本間には押し入れという収納スペースがあり、襖によって仕切られています。

전통적인 가옥을 유지하는 데에는 아주 큰 비용이 들어갑니다.

만약 일본에서 본격적인 일본식 가옥을 체험하고 싶다면, 사찰을 방문하든가 료칸이라는 숙박시설을 이용해 주세요.

교토에는 마치야라는 전통적인 일본 상점가가 많이 있습니다.

다다미

전통적인 일본 방의 바닥에는 다다미가 깔려 있습니다.

다다미는 부드러운 골풀을 짜서 만듭니다.

다다미는 일본 특유의 것으로 부드러운 풀을 짜서 만들고 있습니다.

다다미는 덥고 습한 여름에 적합합니다. 왜냐하면 골풀은 통기가 좋고 촉감이 시원하기 때문입니다.

다다미는 여름뿐만 아니라 겨울에도 적합합니다. 왜냐하면 집의 바닥 부분을 단열하고 보온하기 때문입니다.

가와라

전통적인 일본 가옥의 지붕은 가와라(기와)로 덮여 있습니다.

가와라는 사찰 건축과 함께 중국에서 전래했습니다.

옛 일본 가옥은 고민가라고 불리며, 수가 아주 적어서 귀중합니다.

후스마

전통적인 일본 방은 후스마라는 슬라이드식 문으로 칸막이가 되어 있습니다.

후스마는 미닫이 문입니다.

후스마는 와시라는 전통적인 일본 종이가 발려 있습니다.

오시이레

많은 일본 방에는 오시이레라는 수납 공간이 있으며, 후스마에 의해 칸막이가 되어 있습니다.

☐ 押し入れとは、寝具などを入れる収納スペースのことで、襖で仕切られています。

障子

☐ 障子は伝統的な日本家屋で使われ、部屋と廊下を仕切るものです。

☐ 障子とは、木の枠を薄くて白い日本の紙である和紙で覆ったスライド式のドアのことです。

床の間

☐ 床の間とは客間にある小さなスペースのことです。

☐ 床の間とは客間の壁に特別に設えられた小さなスペースのことで、掛け軸の前に生け花を飾ったりします。

☐ 床の間とは茶道が行われる部屋にある小さなスペースのことです。

茶の間

☐ 茶の間とは家族が集まる部屋です。

☐ 茶の間には小さな神社を模した神棚が祀られていることがあります。

☐ 囲炉裏のある茶の間もあります。その炉は調理にも使われます。

☐ 囲炉裏とは和室に設えられた炉で、木や炭を燃やして暖をとったり、調理するのに使われます。

仏間・仏壇

☐ 仏間とは仏教のしきたりに則って祖先に手を合わせる部屋のことです。

☐ 多くの伝統的な家屋には仏間があり、そこには仏壇が置かれています。

☐ 仏壇とは、伝統的な祭壇のことで、祖先の魂が祀られます。

日本の家庭の典型的な仏壇

오시이레란 침구 등을 넣는 수납 공간을 말하며, 후스마로 칸막이가 되어 있습니다.

쇼지

쇼지는 전통적인 일본 가옥에서 사용되며 방과 복도를 구분하는 것입니다.

쇼지란 나무 틀에 얇고 하얀 일본 종이인 와시를 바른 슬라이드식 문을 말합니다.

도코노마

도코노마는 객실에 있는 작은 공간을 말합니다.

도코노마는 객실 벽에 특별히 설치된 작은 공간으로, 족자를 걸고 그 앞에 생화로 장식하기도 합니다.

도코노마는 다도가 이루어지는 방에 있는 작은 공간을 말합니다.

다실

다실이란 가족이 모이는 방입니다.

다실에는 작은 신사를 본뜬 신단이 모셔져 있기도 합니다.

神棚

이로리가 있는 다실도 있습니다. 그 화로는 조리에도 사용됩니다.

이로리는 일본식 방에 설치된 화로로, 나무나 숯을 태워 따뜻하게 하거나 조리하는 데 사용됩니다.

부쓰마 · 부쓰단

부쓰마란 불교의 관례에 따라 조상에게 기원하는 방을 말합니다.

많은 전통 가옥에는 부쓰마가 있고, 그곳에는 부쓰단이 놓여 있습니다.

부쓰단은 전통적인 제단으로 조상의 영혼을 모십니다.

今の日本家屋

☐ 現代の日本家屋の伝統的な日本間は和室と呼ばれます。

☐ 現代の日本家屋の伝統的な日本間は和室と呼ばれ、西洋式の部屋は洋室と呼ばれます。

☐ 最近の大部分の日本の家には、洋室があり、伝統的な和室も1～2部屋あります。

日本庭園

☐ 日本風の庭は日本庭園と呼ばれます。

☐ 日本の多くの寺、旅館、伝統的な家屋には日本庭園があります。

☐ 多くの日本庭園には池泉という池があります。

☐ 苔と木で覆われた岩や池を配置することは、日本庭園の重要な要素です。

☐ 魅力的な日本庭園をつくるために形のいい岩や木が必要です。

☐ 池泉とは伝統的な日本庭園にある池のことで、そこには鯉がいます。

☐ 錦鯉とは大切に育てられた鯉で、色が美しいことで知られています。

☐ 錦鯉は伝統的な日本庭園の池によくいます。

☐ 枯山水とは、池のない伝統的な日本庭園のことです。

☐ 枯山水では石、砂、苔と少しの植物を調和させて、自然を象徴します。

☐ 石庭とは究極のあるいは最小限の枯山水のことです。

☐ 坪庭とは日本家屋にある小さな中庭のことです。

☐ 坪庭とは非常に小さな中庭のことで、京都の商家である町屋でよく見られます。

현재의 일본 가옥

현대 일본 가옥의 전통적인 일본 방은 화실이라고 불립니다.

현대 일본 가옥의 전통적인 일본 방은 화실이라고 불리고, 서양식 방은 양실이라고 불립니다.

최근 대부분의 일본 집에는 양실이 있고, 전통적인 화실도 한두 개가 있습니다.

일본 정원

일본식 정원은 일본 정원이라고 불립니다.

일본의 많은 사찰, 료칸, 전통적인 가옥에는 일본 정원이 있습니다.

많은 일본 정원에는 지센이라는 연못이 있습니다.

이끼와 나무로 덮인 바위와 연못을 배치하는 것은 일본 정원의 중요한 요소입니다.

매력적인 일본 정원을 만들기 위해서는 좋은 모양의 바위와 나무가 필요합니다.

지센이란 전통적인 일본 정원에 있는 연못을 말하며, 거기에는 잉어가 있습니다.

비단잉어는 소중하게 길러진 잉어로 색깔이 아름답기로 유명합니다.

비단잉어는 주로 전통적인 일본 정원의 연못에 있습니다.

가레산스이란 연못이 없는 전통적인 일본 정원을 말합니다.

가레산스이에서는 돌, 모래, 이끼와 약간의 식물을 조화시켜서 자연을 상징합니다.

세키테이란 궁극의 혹은 최소한의 가레산스이를 말합니다.

쓰보니와란 일본 가옥에 있는 작은 안뜰을 말합니다.

쓰보니와란 매우 작은 안뜰을 말하며, 교토의 상점가인 마치야에서 흔히 볼 수 있습니다.

日本の今を楽しむ

あらゆる家電が安価で入手できる日本の量販店は、訪日外国人にも人気のスポットです。伝統品から食品・日常用品がそろう百貨店も勧めてみましょう。

量販店

□ 大都市では量販店という巨大な店で買い物することができます。

□ 特に、家電を扱っている量販店には、ほとんどあらゆる種類の電気製品や様々なユニークな商品があります。

□ 東京では、主要駅の周辺に家電を扱う量販店があります。

□ 特に、東京の秋葉原には、家電を扱う量販店が多くあります。

□ 量販店には、ビックカメラ、ヤマダ電機、ベスト電器、ヨドバシカメラ、ソフマップなどがあります。

□ 大都市には、文具や目新しい商品を扱う面白い量販店があります。

□ ハンズやロフトといった量販店は面白い文具や目新しい商品を多く取り揃えており、外国人にとても人気があります。

秋葉原の電気街

百貨店

□ 百貨店には、伝統的な和物から、日常生活用品まで扱っています。

□ 日本の百貨店の地下は食品売り場になっており、特産品なども売っています。

□ 日本の百貨店の食品売り場に行くと、特産品の他、日本酒などのアルコール飲料も売っています。

日本橋の老舗デパート

第 2 章
日本を楽しむ

日本の今を楽しむ…量販店／百貨店

양판점

대도시에서는 양판점이라는 거대한 점포에서
쇼핑을 할 수 있습니다.

특히 가전을 취급하고 있는 양판점에는 거의 모든 종류의 전기제품과 다양하고 독특한
상품이 있습니다.

도쿄에서는 주요 역 주변에 가전을 취급하는 양판점이 있습니다.

특히 도쿄의 아키하바라에는 가전을 취급하는 양판점이 많이 있습니다.

양판점에는 빅카메라, 야마다전기, 베스트전기, 요도바시카메라, 소프맵 등이 있습니다.

대도시에는 문구나 새로운 상품을 취급하는 재미있는 양판점이 있습니다.

핸즈나 로프트 같은 양판점은 재미있는 문구와 새로운 상품을 많이 갖추고 있어
외국인들에게 매우 인기가 있습니다.

백화점

백화점에서는 전통적인 일본 상품부터 일상 생활용품까지 취급하고 있습니다.

일본 백화점 지하는 식품매장으로 되어 있고, 특산품 등도 팔고 있습니다.

일본 백화점 식품매장에 가면 특산품 외에 니혼슈 등의 알코올 음료도 팔고 있습니다.

新幹線・鉄道

☐ 列車で日本を旅するのは楽しいものです。

☐ 新幹線とは日本の高速列車の名前です。

☐ 日本のほとんどの主要都市には新幹線という高速列車で行くことができます。

☐ 新幹線はその姿形からよく弾丸列車と呼ばれます。

☐ 新幹線は時速300キロで走ります。

☐ 新幹線は時速300キロで走ります。たとえば、東京と福岡を約5時間で結びます。

☐ 1964年に導入されて以来、全国の新幹線網は拡大しています。

☐ 新幹線網は南は九州の主要都市である鹿児島から、北は北海道まで延びています。

☐ 日本を賢く楽しむには新幹線とローカル線を利用することです。乗り換えも便利です。

☐ 新幹線とローカル線を利用すれば、ほとんど全国どこへでも行けます。

☐ 新幹線には急行と各駅停車とがあります。

☐ 東京から西日本へ行くには、のぞみという新幹線がもっとも速いです。[ひかりや各駅に停まるこだまもあります。]

☐ 東京から北日本に行くには、はやぶさという新幹線が一番速いです。その他に多くの各駅停車も利用できます。

☐ 東京から京都や大阪へ行きたいときは新幹線がおすすめです。

☐ 東京、名古屋、京都、大阪間を移動するときは新幹線を利用するのがとくに便利です。

신칸센 · 철도

열차로 일본을 여행하는 것은 즐거운 일입니다.

신칸센은 일본의 고속열차 이름입니다.

일본 대부분의 주요 도시는 신칸센이라는 고속열차로 갈 수 있습니다.

신칸센은 그 모습 때문에 흔히 탄환 열차라고 불립니다.

신칸센은 시속 300킬로미터로 달립니다.

신칸센은 시속 300킬로미터로 달립니다. 예를 들어, 도쿄와 후쿠오카를 약 5시간 만에 주행합니다.

1964년에 도입된 이후 전국의 신칸센 철도망은 확대되고 있습니다.

신칸센 철도망은 남쪽으로는 규슈의 주요 도시인 가고시마에서 북쪽으로는 홋카이도까지 연결되어 있습니다.

일본을 현명하게 즐기는 방법은 신칸센과 로컬선을 이용하는 것입니다. 환승도 편리합니다.

신칸센과 로컬선을 이용하면 거의 전국 어디든지 갈 수 있습니다.

신칸센에는 급행과 각 역 정차가 있습니다.

도쿄에서 서일본으로 가려면 노조미라는 신칸센이 가장 빠릅니다. [히카리나 각 역에 정차하는 고다마도 있습니다.]

도쿄에서 북일본으로 가려면 하야부사라는 신칸센이 가장 빠릅니다. 그 밖에 많은 각 역 정차도 이용할 수 있습니다.

도쿄에서 교토나 오사카에 가고 싶을 때에는 신칸센을 추천합니다.

도쿄, 나고야, 교토, 오사카 사이를 이동할 때는 신칸센을 이용하는 것이 가장 편리합니다.

☐ 東京、名古屋、京都、大阪間を行き来するには、新幹線が便利です。各都市間を15分間隔で運行しているからです。

☐ 混雑する時期を除けば、通常、駅に行って切符を買い、新幹線に飛び乗ることができます。

☐ 日本人にとって新幹線は、旅するときの洗練された手段としてだけではなく、海外への重要な技術となっています。

☐ 台湾は、海外で初めて日本の新幹線の技術を使った高速列車システムを導入しました。

☐ 新幹線の競合相手であるフランスのTGVとは、速さ、安全性、円滑性、環境保護の面で猛烈に競い合っています。

日本の新幹線

도쿄, 나고야, 교토, 오사카 사이를 오가기에는 신칸센이 편리합니다. 각각의 도시 사이를 15분 간격으로 운행하기 때문입니다.

혼잡한 시기를 제외하면, 일반적으로 역에 가서 표를 사고 신칸센에 승차할 수 있습니다.

일본인에게 신칸센은 여행할 때의 세련된 수단으로서뿐만 아니라, 해외를 향한 중요한 기술이 되고 있습니다.

타이완은 해외에서 처음으로 일본의 신칸센 기술을 사용한 고속열차 시스템을 도입했습니다.

신칸센의 경쟁 상대인 프랑스의 TGV와는 속도, 안전성, 원활성, 환경 보호 면에서 맹렬히 경쟁하고 있습니다.

台湾の高速鉄道

日本食を楽しむ

(☞ 스시 p.73)

일본 음식을 즐기다

에도마에 스시
江戸前寿司

인기 있는 스시 재료
人気が高い寿司ネタ

우니 (성게의 난소, 김으로 감싼 것을 '군함마키'라고 한다)
ウニ (ウニの卵巣。海苔の巻きかたを「軍艦巻き」と言う)

도로 (참치의 몸통에서 기름기가 많은 부분)
トロ (マグロの身の脂の多い部位)

에비
(생새우와 삶은 새우)
エビ (生のエビと茹でたエビがある)

아나고 (장어의 일종으로 삶아서 먹는다)
アナゴ (うなぎの仲間で、煮て使う)

가이세키 요리
懐石膳

소바
そば

(☞ 가이세키 요리 p.81)

우동
うどん

에키벤
駅弁

마쿠노우치 벤토
(옛날 가부키를 보면서 먹었던 전통적인 도시락)
幕の内弁当

(☞ 에키벤 / 벤토 p.91, 93)

(☞ 소바·우동 p.85)

요세나베
寄せ鍋

(☞ 나베모노 *p.77*)
(☞ 스키야키 · 샤부샤부 *p.77*)

스키야키
すき焼き

오뎅
おでん

샤부샤부
しゃぶしゃぶ

야키토리 전문점
焼き鳥屋

오코노미야키 전문점
お好み焼き屋

간토식
(손님이 직접 구움)
関東風（客が自分で焼く）

(☞ 야키토리 *p.79*)

간사이식
(점원이 구워 줌)
関西風（店員が焼いてくれる）

(☞ 오코노미야키 *p.89*)

日本食を楽しむ

旅の楽しみはなんといっても食事です。和食は、無形文化遺産にも登録され、世界の人にも人気です。寿司だけではない日本食を説明できるようになります。

導入

☐ 日本食は寿司だけではありません。

☐ 日本食といってもいろいろな料理があります。

☐ 寿司だけでも、多くの種類があります。

☐ 海外の日本食レストランでは、たいてい幅広い日本料理を出します。

☐ 海外の日本食レストランではたいてい幅広い種類の日本料理を出しますが、日本では違います。

☐ 日本のレストランは、店によって専門料理が違います。

☐ 日本食は日本語で和食といいます。

☐ 日本の食べ物は和食といい、西洋の食べ物は洋食といいます。

刺身

☐ 刺身はとても新鮮な生の魚です。

☐ 刺身は世界で最も良く知られた日本の魚料理の一つです。

☐ 刺身は生の魚を薄く切って、きれいに盛り付けたものです。

☐ 刺身はいろいろな魚介でつくります。

도입

일본 음식은 스시뿐만이 아닙니다.

일본 음식에는 여러 요리가 있습니다.

스시만 해도 수많은 종류가 있습니다.

해외의 일본 음식 레스토랑에서는 대개 폭넓은 일본 요리를 내놓습니다.

해외의 일본 음식 레스토랑에서는 대개 폭넓은 종류의 일본 요리를 내놓지만, 일본에서는 다릅니다.

일본의 레스토랑은 가게마다 전문 요리가 다릅니다.

일본 음식은 일본어로 와쇼쿠라고 합니다.

일본의 음식은 일식이라고 하고, 서양 음식은 양식이라고 합니다.

사시미

사시미는 매우 신선한 날생선입니다.

사시미는 세계에 가장 잘 알려진 일본의 생선요리 가운데 하나입니다.

사시미는 날생선을 얇게 썰어 예쁘게 담은 것입니다.

사시미는 여러가지 해산물로 만듭니다.

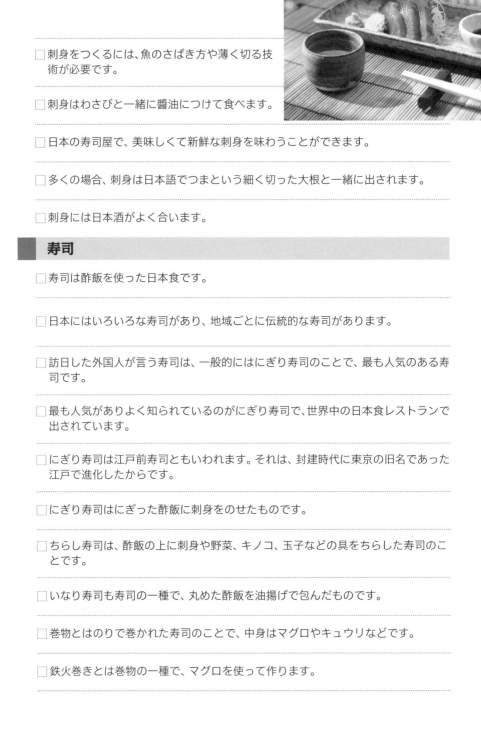

□ 刺身をつくるには、魚のさばき方や薄く切る技術が必要です。

□ 刺身はわさびと一緒に醬油につけて食べます。

□ 日本の寿司屋で、美味しくて新鮮な刺身を味わうことができます。

□ 多くの場合、刺身は日本語でつまという細く切った大根と一緒に出されます。

□ 刺身には日本酒がよく合います。

寿司

□ 寿司は酢飯を使った日本食です。

□ 日本にはいろいろな寿司があり、地域ごとに伝統的な寿司があります。

□ 訪日した外国人が言う寿司は、一般的にはにぎり寿司のことで、最も人気のある寿司です。

□ 最も人気がありよく知られているのがにぎり寿司で、世界中の日本食レストランで出されています。

□ にぎり寿司は江戸前寿司ともいわれます。それは、封建時代に東京の旧名であった江戸で進化したからです。

□ にぎり寿司はにぎった酢飯に刺身をのせたものです。

□ ちらし寿司は、酢飯の上に刺身や野菜、キノコ、玉子などの具をちらした寿司のことです。

□ いなり寿司も寿司の一種で、丸めた酢飯を油揚げで包んだものです。

□ 巻物とはのりで巻かれた寿司のことで、中身はマグロやキュウリなどです。

□ 鉄火巻きとは巻物の一種で、マグロを使って作ります。

사시미를 만들기 위해서는 생선 손질법이나 얇게 자르는 기술이 필요합니다.

사시미는 와사비와 함께 간장에 찍어 먹습니다.

일본의 스시집에서 맛있고 신선한 사시미를 맛볼 수 있습니다.

대부분의 경우 사시미는 일본어로 쓰마라는 가늘게 자른 무와 함께 나옵니다.

사시미에는 니혼슈가 잘 어울립니다.

스시

스시는 초밥을 사용한 일본 음식입니다.

일본에는 다양한 스시가 있고, 지역마다 전통 스시가 있습니다.

방일한 외국인이 말하는 스시는 일반적으로 니기리스시로 가장 인기 있는 스시입니다.

가장 인기 있고 잘 알려진 것이 니기리스시로, 전 세계 일본 음식 레스토랑에서 내놓고 있습니다.

니기리스시는 에도마에스시라고도 합니다. 그것은 봉건 시대 도쿄의 옛 이름이었던 에도에서 진화했기 때문입니다.

니기리스시는 한 줌 쥔 초밥에 사시미를 얹은 것입니다.

치라시스시는 초밥 위에 사시미와 야채, 버섯, 계란 등의 재료를 흩뿌린 스시를 말합니다.

이나리스시도 스시의 일종으로 동그랗게 말린 초밥을 유부로 감싼 것입니다.

마키모노란 김으로 휘감은 스시를 말하며, 내용물은 마구로와 오이 등입니다.

뎃카마키란 마키모노의 일종으로 마구로를 사용하여 만듭니다.

☐ かっぱ巻きは巻物の一種で、キュウリを使って作ります。

☐ 太巻きとは、かんぴょう、椎茸、玉子焼きなどを巻いてつくる寿司の一種です。

☐ 5つ星の寿司屋はとても高いです。

☐ 回転寿司は寿司屋のファストフードで気軽に寿司を味わえます。

☐ 回転寿司では、いろいろな種類の寿司が小さな皿にのって、ベルトの上を廻っています。

☐ 回転寿司では、会計のときにウェイターがテーブルの上の皿の数を数えます。皿の色によって値段が違います。

☐ 寿司を食べるときは、あまり醤油をつけすぎないように注意しましょう。

☐ 寿司を食べるには、箸を使うことも指でつまむこともできます。

☐ アメリカには、カリフォルニアロールのような巻き寿司がいろいろあります。

天ぷら

☐ 天ぷらとは、魚介や野菜を揚げたものです。

☐ 天ぷらは、魚介や野菜を揚げたもので、衣は小麦粉と水でつくります。

☐ たいていの魚介類は天ぷらにできます。とりわけ、海老の天ぷらはとても人気があります。

☐ 美味しい天ぷらを食べるには、必ず新鮮な材料を使って揚げますが、揚げ過ぎてはいけません。

☐ 天丼は、丼に入ったご飯の上に天ぷらをのせたものです。

갓파마키는 마키모노의 일종으로 오이를 사용하여 만듭니다.

후토마키란 간표, 표고버섯, 계란말이 등을 말아 만드는 스시의 일종입니다.

5성급 스시집은 매우 비쌉니다.

회전스시는 스시집의 패스트푸드로 부담없이 스시를 맛볼 수 있습니다.

회전스시에서는 다양한 종류의 스시가 작은 접시에 담겨 벨트 위를 돕니다.

회전스시에서는 계산할 때 종업원이 테이블 위의 접시 수를 셉니다. 접시의 색에 따라 가격이 다릅니다.

스시를 먹을 때는 간장을 너무 많이 찍지 않도록 주의합시다.

스시를 먹기 위해서는 젓가락을 사용할 수도, 손가락으로 집을 수도 있습니다.

미국에는 캘리포니아롤 같은 마키스시가 여러가지 있습니다.

回転寿司店の様子

덴푸라

덴푸라는 해산물이나 채소를 튀긴 것입니다.

덴푸라는 해산물이나 채소를 튀긴 것으로, 튀김옷은 밀가루와 물로 만듭니다.

대부분의 해산물은 덴푸라로 할 수 있습니다. 특히 새우 덴푸라는 매우 인기가 있습니다.

맛있는 덴푸라를 먹으려면, 반드시 신선한 재료를 사용하여 튀겨야 하지만 너무 튀겨서는 안 됩니다.

덴동은 덮밥에 들어간 밥 위에 덴푸라를 얹은 것입니다.

☐ 天ぷらは天つゆと一緒に出されます。

☐ 天つゆは、魚だし、醤油、甘口の調理酒であるみりんでつくります。

すき焼き・しゃぶしゃぶ

☐ すき焼きはテーブルの上で調理する鍋料理です。主な材料は薄く切った牛肉、豆腐、ネギ、キノコ、しらたきです。

☐ すき焼きは鍋料理で、主な材料は薄く切った牛肉、豆腐、ネギです。浅い鉄鍋に、醤油、砂糖、みりん、酒を加えて調理されます。

☐ すき焼きの付けだれとして、小さな器に入った生卵が出されます。

☐ しゃぶしゃぶは鍋料理で、主な材料は紙のように薄く切った牛肉です。

☐ しゃぶしゃぶは鍋料理で、主な材料は紙のように薄く切った牛肉です。豆腐と野菜も肉と一緒に食べます。

☐ しゃぶしゃぶを楽しむには、薄く切った牛肉を熱い出汁に入れ、たれにつけて食べます。

☐ レストランのランクに関わらず、しゃぶしゃぶは客が調理します。

☐ 美味しいすき焼きやしゃぶしゃぶの高級店は、和牛を出します。

鍋物

☐ おでんは冬に食べる人気の鍋料理です。ゆで卵、大根、さつま揚げ、こんにゃくといった材料が醤油の出汁で煮込まれます。

☐ ちゃんこ鍋は相撲部屋で出される鍋料理です。

☐ ちゃんこ鍋は元々相撲取りによって作られた日本の鍋料理です。多くのお相撲さんが引退後にちゃんこ鍋屋を開きます。

☐ 湯豆腐は豆腐を使う鍋料理で、醤油、酒、出汁を熱したものに豆腐と昆布を入れます。

덴푸라는 덴쓰유와 함께 나옵니다.

덴쓰유는 생선 육수, 간장, 단맛의 조리주인 미림으로 만듭니다.

스키야키 · 샤부샤부

스키야키는 테이블 위에서 조리하는 전골 요리입니다. 주재료는 얇게 썬 소고기, 두부, 파, 버섯, 시라타키(실처럼 가느다란 곤약)입니다.

스키야키는 전골 요리이고 주재료는 얇게 썬 소고기, 두부, 파입니다. 얕은 쇠전골에 간장, 설탕, 미림, 술을 더해 조리됩니다.

스키야키의 양념으로 작은 그릇에 담긴 날달걀이 나옵니다.

샤부샤부는 전골 요리이고, 주재료는 종이처럼 얇게 썬 소고기입니다.

샤부샤부는 전골 요리이고, 주재료는 종이처럼 얇게 썬 소고기입니다. 두부와 야채도 고기랑 같이 먹습니다.

샤부샤부를 즐기려면, 얇게 썬 소고기를 뜨거운 육수에 넣어 양념장에 찍어 먹습니다.

레스토랑의 등급에 관계없이 샤부샤부는 손님이 조리합니다.

맛있는 스키야키나 샤부샤부 고급 가게는 와규를 내어 줍니다.

나베모노

오뎅은 겨울에 먹는 인기 있는 전골 요리입니다. 삶은 달걀, 무, 사쓰마아게, 곤약 같은 재료를 간장 육수에 삶습니다.

찬코나베는 스모베아에서 비롯된 전골 요리입니다.

찬코나베는 원래 스모 선수들이 만든 일본의 전골 요리입니다. 많은 스모 선수들이 은퇴 후에 찬코나베 가게를 차립니다.

유두부는 두부를 사용하는 전골 요리로 간장, 술, 육수를 끓인 것에 두부와 다시마를 넣습니다.

☐ 湯豆腐は豆腐を使う鍋料理で、冬の人気料理です。

☐ 日本では、鍋料理で具を食べた後に、残った出汁にご飯やうどんを入れて、美味しい雑炊やうどんを作ります。

和牛

☐ 和牛は柔らかいことで有名です。

☐ 和牛とは最高級の日本の牛肉で、柔らかいことで有名です。

☐ 神戸と松阪は高品質の和牛で有名です。他にも多くの地域で独自の高級和牛を育てています。

焼き鳥

☐ 焼き鳥とは鳥肉を串焼きにしたものです。

☐ 焼き鳥には無数の種類があります。鶏は皮や内臓を含めてほとんどすべての部位が焼き鳥に使われます。

☐ 焼き鳥には、鳥肉と野菜を組み合わせて串焼きにする食べ方もあります。

☐ 焼き鳥を出す店は屋台や居酒屋がほとんどですが、中には品質にこだわった高級店もあります。

☐ 焼き鳥は、ビールや日本酒とよく合います。

유두부는 두부를 사용하는 전골 요리로 겨울철 인기 요리입니다.

일본에서는 전골 요리로 건더기를 먹은 후 남은 육수에 밥이나 우동을 넣어 맛있는 죽이나 우동을 만듭니다.

와규

와규는 부드럽기로 유명합니다.

와규란 최고급 일본 소고기로 부드럽기로 유명합니다.

고베와 마쓰사카는 고품질의 와규로 유명합니다. 그 밖에도 많은 지역에서 독자적인 고급 와규를 기르고 있습니다.

야키토리

야키토리란 닭고기를 꼬치구이한 것입니다.

야키토리에는 무수한 종류가 있습니다. 닭은 껍질이나 내장을 포함하여 거의 모든 부위가 야키토리에 사용됩니다.

야키토리에는 닭고기와 야채를 조합하여 꼬치구이로 만드는 방법도 있습니다.

야키토리를 내놓는 가게는 포장마차나 이자카야가 대부분이지만, 그중에는 품질을 고집하는 고급 가게도 있습니다.

야키토리는 맥주나 니혼슈와 잘 어울립니다.

懐石料理

□ 懐石（料理）とは、高級な和食のフルコースです。

□ 懐石料理の店では、幅広い和食を最も洗練された形で楽しむことができます。

□ 懐石は正式な食事で、改まった席などで供されます。

□ 懐石はコース料理なので、コースメニューから選びます。単品の注文はできません。

□ 懐石は最も高額な和食の一つです。

□ 元々懐石は茶会前に出される料理でした。

□ 懐石料理の店では、さまざまな和食を楽しむことができます。それぞれの料理は小さく、1つずつ出てきます。

□ 懐石料理の店で出てくる料理は、調理法も種類もさまざまです。

□ 典型的な懐石料理に含まれるものは、刺身、焼き魚、天ぷら、お吸いもの、野菜の煮物などです。

□ 懐石は舌だけでなく目も楽しませてくれるご馳走です。

□ 懐石は見た目が重要で、すべての素材が美しく盛り付けられています。

□ 懐石では季節ごとの素材が使われ、見た目の美しさだけでなく旬の味を楽しむことができます。

가이세키 요리

가이세키(요리)란 고급 일식 풀코스입니다.

가이세키 요리점에서는 폭넓은 일식을 가장 세련된 형태로 즐길 수 있습니다.

가이세키는 정식 식사로, 격식을 차린 자리 등에서 제공됩니다.

가이세키는 코스 요리이기 때문에 코스 메뉴에서 선택합니다. 단품은 주문할 수 없습니다.

가이세키는 가장 비싼 일식 중 하나입니다.

원래 가이세키는 다과회 전에 나오는 요리였습니다.

가이세키 요리점에서는 다양한 일식을 즐길 수 있습니다. 각각의 요리는 작게 하나씩
나옵니다.

가이세키 요리점에서 나오는 요리는 조리법도 종류도 다양합니다.

전형적인 가이세키 요리에 포함된 것은 사시미, 생선구이, 덴푸라, 장국, 야채 조림
등입니다.

가이세키는 혀뿐만 아니라 눈도 즐겁게 해주는 진수성찬입니다.

가이세키는 외형이 중요하고 모든 재료가 아름답게 담겨 있습니다.

가이세키에서는 계절별 재료가 사용되어 외형적인 아름다움뿐만 아니라 제철의 맛을
즐길 수 있습니다.

うなぎの蒲焼き・うな重

- [ ] うなぎは淡水魚で、特製のタレを付けて焼きます。

- [ ] うなぎはほとんどうなぎの専門店で出されます。

- [ ] うなぎの蒲焼きは単に蒲焼きともいい、うなぎに特製のタレを付けて焼いたものです。

- [ ] 日本人は夏にうなぎを食べます。うなぎは暑さに打ち勝つ精力をつけてくれると信じられているからです。

- [ ] 蒲焼きとはうなぎの骨を抜き、特製のタレを付けて照り焼きにしたものです。

- [ ] 蒲焼きは柔らかく、タレが甘めです。

- [ ] うなぎは味わい深く、日本人の好物です。

- [ ] うなぎには豊富なタンパク質、脂肪、ビタミンA、Eが含まれています。

- [ ] うなぎを出す和食店の人気メニューはうな重です。

- [ ] うな重とは、白米の上に蒲焼きをのせたものです。

- [ ] 肝吸いもよくうな重についてきますが、うなぎの内臓を入れたお吸い物です。

우나기 구이 · 덮밥

우나기는 민물고기로 특제 양념장을 발라서 굽습니다.

우나기는 대부분 우나기 전문점에서 나옵니다.

우나기 구이는 단순히 가바야키라고도 하며, 우나기에 특제 양념을 묻혀 구운 것입니다.

일본인은 여름에 우나기를 먹습니다. 우나기는 더위를 이겨내는 정력을 키워 준다고 믿기 때문입니다.

가바야키란 우나기의 뼈를 빼내고 특제 양념을 묻혀 데리야키로 한 것입니다.

가바야키는 부드럽고 양념이 달콤합니다.

우나기는 맛이 깊고, 일본인이 좋아합니다.

우나기에는 풍부한 단백질, 지방, 비타민 A, E가 포함되어 있습니다.

우나기를 내는 일본 음식점의 인기 메뉴는 우나주(장어덮밥)입니다.

우나주는 흰쌀 위에 우나기 구이를 얹은 것입니다.

기모스이도 우나주와 함께 자주 나오는데, 우나기의 내장을 넣은 맑은 장국입니다.

そば・うどん

□ そばとは、そば粉でできた細い麺です。

□ 日本にはそば専門のそば屋という店があります。

□ もりそばとは、シンプルな冷たいそばです。

□ ざるそばは、のりをかけた冷たいそばです。

□ 天ざるは天ぷらがついた冷たいそばです。

□ かけそばは熱いつゆをかけたそばです。

□ そばには熱い汁と一緒に出てくるものがあります。

□ うどんは小麦粉でつくる太めの麺で、食べ方はそばと
　似ています。

□ そばもうどんも、つけ汁といっしょに出てくる冷たい
　ものか、汁に入った温かいものがあります。

□ 西日本の人たちはそばよりもうどんをよく食べます。

□ 東日本の人たちはうどんよりもそばをよく食べます。

□ 日本人はよく麺をすすります。

□ 麺を食べるとき、日本では音をたてても構いません。

Track 07

소바 · 우동

소바는 메밀가루로 만든 가느다란 면입니다.

일본에는 소바를 전문으로 하는 소바야라는 가게가 있습니다.

모리소바는 간단한 차가운 소바입니다.

자루소바는 김을 뿌린 차가운 소바입니다.

덴자루는 덴푸라와 함께 나오는 차가운 소바입니다.

가케소바는 뜨거운 국물에 담긴 소바입니다.

소바에는 뜨거운 국물과 함께 나오는 것이 있습니다.

우동은 밀가루로 만든 굵은 면으로, 먹는 방법은 소바와 비슷합니다.

소바도 우동도 장국과 함께 나오는 차가운 것이나, 국물이 들어간 따뜻한 것이 있습니다.

서일본 사람들은 소바보다 우동을 자주 먹습니다.

동일본 사람들은 우동보다 소바를 자주 먹습니다.

일본인은 면을 자주 후루룩거립니다.

면을 먹을 때 일본에서는 소리를 내도 상관없습니다.

第 2 章
日本を楽しむ

日本食を楽しむ…そば・うどん

85

ラーメン

□ ラーメンは日本で大人気のファストフードです。

□ ラーメンの起源は中国ですが、日本は独自の味に進化させました。

□ ラーメンは値段も手頃で、カジュアルな食べ物です。

□ ラーメンは日本で最も人気のある麺類の一つです。

□ 日本にはラーメン屋という専門店が無数にあります。

□ 大都市では、ラーメン屋はほとんど街角ごとにあります。

□ ラーメンの出汁はさまざまな素材でつくります。

□ ラーメンの出汁は、鶏、豚、魚、昆布、キノコ、野菜などさまざまな素材でつくります。

□ ラーメンの麺は小麦粉でつくられます。

□ ラーメンは安価でカジュアルな食べ物ですが、有名店に定期的に通うような熱狂的なファンもいます。

□ 最も人気のあるラーメンの種類には、味噌、塩、醤油があります。

□ 最も人気のあるラーメンの種類には、味噌、塩、醤油があります。それぞれ、味噌ラーメン、塩ラーメン、醤油ラーメンといわれます。

□ 九州ではほとんどのラーメンが豚骨の出汁がベースで、豚骨ラーメンといわれています。

□ 北海道では味噌味のラーメンが好まれます。

□ 札幌ラーメンは味噌味にバターを加えることがあります。

□ ラーメンの典型的なトッピングは、チャーシュー、海苔、メンマ、ネギなどです。

라멘

라멘은 일본에서 큰 인기를 끌고 있는 패스트푸드입니다.

라멘의 기원은 중국이지만 일본은 독자적인 맛으로 진화시켰습니다.

라멘은 가격도 적당하고 캐주얼한 음식입니다.

라멘은 일본에서 가장 인기 있는 면류 중 하나입니다.

일본에는 라멘야라는 전문점이 무수히 많이 있습니다.

대도시에서 라멘야는 거의 길거리마다 있습니다.

라멘 육수는 다양한 소재로 만듭니다.

라멘 육수는 닭, 돼지, 생선, 다시마, 버섯, 채소 등 다양한 소재로 만듭니다.

라멘의 면은 밀가루로 만듭니다.

라멘은 저렴하고 캐주얼한 음식이지만, 유명 가게에 정기적으로 다니는 열광적인 팬도 있습니다.

가장 인기 있는 라멘의 종류에는 미소(된장), 시오(소금), 쇼유(간장)가 있습니다.

가장 인기 있는 라멘의 종류에는 미소, 시오, 쇼유가 있습니다. 각각 미소라멘, 시오라멘, 쇼유라멘이라고 합니다.

규슈에서는 대부분의 라멘이 돈코쓰 육수를 베이스로 하고, 돈코쓰라멘이라고 알려져 있습니다.

홋카이도에서는 미소 맛의 라멘을 좋아합니다.

삿포로라멘은 미소 맛에 버터를 가미할 수 있습니다.

라멘의 전형적인 토핑은 차슈, 김, 죽순, 파 등입니다.

カレーライス

☐ カレーライスは人気の洋食です。

☐ カレーはインドの料理ですが、日本人は19世紀終わりに独自のものを作りました。

☐ 日本のカレーライスは、ご飯の上にカレーソースをかけたものです。

☐ カレーライスは日本人に最も人気のある料理の一つです。

☐ カレーライスとラーメンは、日本で最も人気のあるファストフードです。

☐ 都会には多くのカレーライス専門店があります。

☐ カレーライスは人気の家庭料理の一つです。

☐ カレーライスには具材によって多くの種類があります。

☐ ビーフカレーは一番人気のカレーで、カツカレーも日本人に人気があります。

豚カツ

☐ 豚カツは豚肉を揚げたものです。

☐ 豚カツ店ではヒレやロース肉を揚げたものを手頃な値段で食べることができます。

焼きそば・焼きうどん

☐ 焼きそばは細い麺をつかった料理で、特製ソース、野菜、豚肉を炒めてつくります。

☐ 焼きうどんは焼きそばのようなものですが、使う麺はうどんです。

お好み焼き

☐ お好み焼きは日本のピザのようなものです。

☐ お好み焼きは関西で非常に人気があります。

카레라이스

카레라이스는 인기 있는 양식입니다.

카레는 인도 요리이지만, 일본인은 19세기 말에 독자적인 것을 만들었습니다.

일본의 카레라이스는 밥 위에 카레 소스를 뿌린 것입니다.

카레라이스는 일본인들에게 가장 인기 있는 요리 중 하나입니다.

카레라이스와 라멘은 일본에서 가장 인기 있는 패스트푸드입니다.

도시에는 많은 카레라이스 전문점이 있습니다.

카레라이스는 인기 있는 가정요리의 하나입니다.

카레라이스에는 재료에 따라 많은 종류가 있습니다.

비프 카레는 가장 인기 있는 카레이고, 가쓰 카레도 일본인에게 인기가 있습니다.

돈가스

돈가스는 돼지고기를 튀긴 것입니다.

돈가스점에서는 안심이나 등심을 튀긴 것을 적당한 가격에 먹을 수 있습니다.

야키소바 · 야키우동

야키소바는 가느다란 면을 사용한 요리로 특제 소스, 채소, 돼지고기를 볶아서 만듭니다.

야키우동은 야키소바 같은 것이지만, 사용하는 면이 우동입니다.

오코노미야키

오코노미야키는 일본식 피자 같은 것입니다.

오코노미야키는 간사이에서 매우 인기가 있습니다.

- [ ] 多くのお好み焼き屋ではお好み焼きだけではなく、焼きそばも出します。

- [ ] お好み焼きもピザのように、魚介から肉までさまざまな食材やトッピングを選ぶことができます。

- [ ] 広島の人たちは、焼きそばとお好み焼きを重ねて食べます。

丼もの

- [ ] 日本にはいろいろな丼ものがあります。

- [ ] 丼は日本で人気のファストフードです。

- [ ] 人気の丼料理は、親子丼、カツ丼、天丼、牛丼です。

- [ ] 親子丼は鶏肉、玉ねぎを煮て、卵でとじ、ご飯にのせた料理です。

- [ ] カツ丼は親子丼に似ていますが、鶏肉ではなく豚カツをのせたものです。

- [ ] 天丼はご飯の上に天ぷらをのせたもので、通常天ぷら屋で食べます。

- [ ] 牛丼は、牛肉の丼ものです。調味した牛肉と野菜をご飯にのせたものです。

弁当

- [ ] 弁当は箱に入れたランチのことです。

- [ ] 弁当は丁寧にお弁当といわれることもあります。

- [ ] 日本では弁当はピクニックだけでなく、さまざまな状況で食べます。

- [ ] 和食屋へ行くと、弁当スタイルのランチもあります。

- [ ] 高級和食屋のなかには、昼食時に美しく仕上げたミニ懐石を漆塗りの箱に入れて出すところもあります。

- [ ] 弁当は盛り付けが美しいことで広く知られています。

많은 오코노미야키 가게에서는 오코노미야키뿐만 아니라 야키소바도 내놓습니다.

오코노미야키도 피자처럼 해산물부터 고기까지 다양한 재료와 토핑을 선택할 수 있습니다.

히로시마 사람들은 야끼소바와 오코노미야키를 겹쳐서 먹습니다.

돈부리

일본에는 여러 가지 돈부리가 있습니다.

돈부리는 일본에서 인기 있는 패스트푸드입니다.

인기 있는 돈부리 요리는 오야코동, 가쓰동, 덴동, 규동입니다.

오야코동은 닭고기, 양파를 삶고 계란을 푼 다음 밥에 얹은 요리입니다.

가쓰동은 오야코동과 비슷하지만 닭고기가 아니라 돈가스를 얹은 것입니다.

덴동은 밥 위에 덴푸라를 얹은 것으로, 보통 덴푸라 가게에서 먹습니다.

규동은 소고기덮밥입니다. 조미한 소고기와 야채를 밥에 얹은 것입니다.

벤토 (도시락)

도시락은 상자(도시락통)에 넣은 점심을 말합니다.

도시락은 정중하게 오벤토라고 할 수도 있습니다.

일본에서 도시락은 피크닉뿐만 아니라 다양한 상황에서 먹습니다.

일식집에 가면 도시락 스타일의 점심도 있습니다.

고급 일식집 중에는 점심 때, 아름답게 완성한 미니 가이세키를 옻칠한 상자에 넣어 내놓는 곳도 있습니다.

도시락은 담긴 모습이 아름답기로 널리 알려져 있습니다.

駅弁

☐ 駅弁とは列車の駅で売られている弁当のことです。

☐ 列車に長く乗るのであれば、駅弁という特別な弁当を試してみるチャンスです。駅弁は主要駅や車内で販売されます。

☐ 多くの駅弁には地元の特産物が入っています。

おにぎり

☐ おにぎりは、ご飯を球状か三角形に、手で丸めたものです。

☐ おにぎりを作るときは、塩を少し掌に振ってから握ります。

☐ 多くの場合、おにぎりは海苔で巻き、ご飯の中に具を入れます。

☐ おにぎりはかさばらず持ち運びができるので、多くの人が朝食やランチ用にコンビニで購入します。

調味料・日本食の用語

☐ 味噌とは大豆を発酵させたペースト状のものです。

☐ 納豆は大豆を発酵させたもので、ご飯にのせて食べます。

☐ みりんとは甘い調理酒です。

☐ 海苔は海藻の一種を干したもので、とくに朝食時にご飯と一緒に食べます。

☐ 大根おろしとは大根をすり下ろしたものです。

☐ 胡麻ダレとは胡麻味のソースでしゃぶしゃぶや冷たいうどんなどを食べるときに使います。

☐ ポン酢とは柑橘果汁を入れた醤油で、刺身やしゃぶしゃぶなどに使います。

☐ 梅干しは梅の実を塩漬けしたもので、酸っぱいですが、健康にいいものです。

에키벤

에키벤은 열차역에서 판매되고 있는 도시락을 말합니다.

열차를 오래 탄다면 에키벤이라는 특별한 도시락을 시도해
볼 기회입니다. 에키벤은 주요 역이나 차 내에서 판매됩니다.

많은 에키벤에는 현지 특산물이 들어 있습니다.

오니기리

오니기리는 밥을 구형 또는 삼각형으로 손으로 둥글게 만든 것입니다.

오니기리를 만들 때는 소금을 조금 손바닥에 뿌린 후에 잡습니다.

대부분의 경우 오니기리는 김으로 말고 밥 안에 내용물을 넣습니다.

오니기리는 부피가 크지 않고 휴대할 수 있기 때문에, 많은 사람들이 아침식사나
점심용으로 편의점에서 구입합니다.

조미료 · 일식 용어

미소(된장)란 콩을 발효시킨 페이스트 형태의 것입니다.

낫토는 콩을 발효시킨 것으로, 밥에 얹어 먹습니다.

미림이란 달콤한 조리주입니다.

노리(김)는 해조의 일종을 말린 것으로, 특히 아침식사 때 밥과 함께 먹습니다.

다이콘오로시(무즙)란 무를 갈아낸 것입니다.

고마다레(참깨양념)는 참깨 맛 소스로 샤부샤부나 차가운 우동 등을 먹을 때 씁니다.

폰즈는 감귤과즙을 넣은 간장으로 사시미나 샤부샤부 등에 사용합니다.

우메보시는 매실을 소금에 절인 것으로, 시지만 건강에 좋습니다.

☐ つくねとは鶏の肉団子のことです。

☐ わさびは、日本の辛味 (調味料) です。

わさび

☐ 鰹節とは干して燻したカツオのことで、削ったり細切りにして、出汁や料理の味付けに使います。

日本茶

☐ 日本茶は日本語でお茶といいます。

☐ 日本茶は緑茶として知られています。

☐ 日本人は緑茶のことをお茶と呼び、レストランでは水と同じで無料です。

☐ お茶はふつうは温かいものです。

☐ ペットボトルに入った冷たいお茶は自動販売機で買えます。

☐ 日本には様々な種類のお茶があります。

☐ 日本人はいろいろな種類のお茶を飲みます。

☐ 茶会で点てられるお茶は抹茶という粉末状のもので、日常で出されるお茶とは違います。

☐ 抹茶をのぞいて、日本茶は煎茶といいます。

☐ 抹茶をのぞいて、日本茶は煎茶と呼ばれます。茶葉を急須に入れ、それに熱いお湯を注いでお茶をいれます。

☐ 玉露とは苦みを調節して作られた高品質のお茶です。

☐ 番茶は夏が過ぎて摘まれた茶葉で作られます。

☐ ほうじ茶は茶葉を煎ってカフェインを減らしたお茶です。

쓰쿠네는 닭가슴살 경단을 말합니다.

와사비는 일본의 매운맛(조미료)입니다.

가쓰오부시란 말린 가다랑어를 말하며, 깎거나 잘게 썰어 육수나 요리의 양념으로 사용합니다.

일본차

일본차는 일본어로 오차라고 합니다.

일본차는 녹차로 알려져 있습니다.

일본인은 녹차를 차라고 부르고, 레스토랑에서는 물과 마찬가지로 무료입니다.

차는 보통 따뜻합니다.

페트병에 든 차가운 차는 자동판매기에서 살 수 있습니다.

일본에는 다양한 종류의 차가 있습니다.

일본인은 여러 종류의 차를 마십니다.

다과회에서 끓이는 차는 말차라는 분말 형태의 것으로, 일상적으로 나오는 차와는 다릅니다.

말차를 제외하면 일본차는 센차라고 합니다.

말차를 제외하면 일본차는 센차라고 불립니다. 찻잎을 찻주전자에 넣고, 거기에 뜨거운 물을 부어 차를 끓입니다.

교쿠로는 쓴맛을 조절하여 만든 고품질의 차입니다.

반차는 여름이 지나고 딴 찻잎으로 만들어집니다.

호지차는 찻잎을 달여서 카페인을 줄인 차입니다.

☐ 玄米茶とは茶葉に煎った玄米を混ぜたものです。

和菓子

☐ 和菓子とは伝統的な日本のお菓子です。

☐ 一般的に和菓子はお茶と一緒に出されます。

☐ 一般的に和菓子はお茶と一緒に出されますが、それはお茶が苦いからです。和菓子の甘さが飲むお茶を引き立ててくれるのです。

☐ 和菓子は茶会でも供されます。

☐ 美しい和菓子は、茶会の式には欠かせないものです。

☐ あんことは、小豆を煮て砂糖を加えて練ったものです。

☐ あんこを生地で包んだ和菓子がたくさんあります。

☐ 和菓子のつくり方や飾りには、季節感が（強く）出ています。

☐ 落雁は乾燥した菓子である干菓子の一種で、様々な技巧が施されていることで知られています。

☐ 生菓子とは、柔らかくて、しっとりして、甘い、和菓子の一種です。

☐ 饅頭は生菓子の典型例です。

☐ 饅頭は、小豆餡を生地で包んだものです。

☐ 米でできた煎餅は、最も人気のある干菓子です。

☐ 煎餅は丸くて、薄めで、ぱりぱりしています。

☐ 煎餅は米粉を焼いて、しょう油や塩で味付けしたものです。

☐ 日本にはいろいろな干菓子がありますが、甘いものばかりではなく、塩からいものから辛いもの、香ばしいものもあります。

현미차는 찻잎에 볶은 현미를 섞은 것입니다.

화과자

화과자는 전통적인 일본 과자입니다.

일반적으로 화과자는 차와 함께 나옵니다.

일반적으로 화과자는 차와 함께 나오는데, 그것은 차가 쓰기 때문입니다. 화과자의 달콤함이 마시는 차를 돋보이게 해줍니다.

화과자는 다과회에서도 제공됩니다.

아름다운 화과자는 다과회에 빼놓을 수 없습니다.

팥고물은 팥을 삶아서 설탕을 넣고 반죽한 것입니다.

팥소를 반죽으로 싼 화과자가 많이 있습니다.

화과자를 만드는 방법이나 장식에는, 계절감이 (강하게) 나와 있습니다.

라쿠간은 건조한 과자인 건과자의 일종으로 다양한 기교가 있는 것으로 알려져 있습니다.

나마가시(생과자)는 부드럽고 촉촉하며 달콤한 화과자의 일종입니다.

만주는 생과자의 전형적인 예입니다.

만주는 팥소를 반죽으로 싼 것입니다.

쌀로 만든 전병은 가장 인기 있는 건과자입니다.

전병은 둥글고, 얇고, 바삭바삭합니다.

전병은 쌀가루를 구워 간장이나 소금으로 간을 한 것입니다.

일본에는 다양한 건과자가 있는데, 단 것뿐만 아니라 짠 것부터 매운 것, 고소한 것도 있습니다.

酒

☐ 酒は米からできた伝統的な日本のアルコールです。

☐ 酒を造るには、米、水、麹を使った複雑な工程があります。

☐ 酒のことを英語でよく「ライスワイン」といいます。

☐ 酒のことを英語で「ライスワイン」といいますが、アルコール度数もワインと同じくらいです。

☐ 酒は、冷やにも、常温にも、ぬる燗にも、熱燗にもできます。

☐ 酒は、冷やにも、常温にも、ぬる燗にも、熱燗にもできます。その温度によって酒の味わいも変わってきます。

☐ 長いこと温められた酒が一般的でしたが、美味しい飲み方は銘柄や季節によって変わります。

☐ 暑くて湿気の多い夏場は、冷やが爽快ですし、寒い冬の夜には熱燗こそがおすすめです。

☐ 酒は種類によって味が異なります。自分の好みで、甘口から辛口まで選ぶことができます。

☐ ワインと同じように、酒の醸造所には大手メーカー以外に小さな地方特有のものがたくさんあります。

☐ 小さな醸造所の酒は地酒といわれ、今日、非常に人気があります。

☐ 辛口から甘口まで、醸造所ごとに異なった銘柄をつくるためには、秘伝の技法があります。

Track 08

사케

사케는 쌀로 만든 전통적인 일본 알코올입니다.

사케를 만드는 데에는 쌀, 물, 누룩을 이용한 복잡한 공정이 있습니다.

사케를 영어로 흔히 라이스와인이라고 합니다.

사케를 영어로 라이스와인이라고 하는데, 알코올 도수도 와인과 같은 정도입니다.

사케는 차갑게도(히야), 상온으로도(조온), 미지근하게도(누루캉), 뜨겁게도(아쓰캉) 마실 수 있습니다.

사케는 히야로도, 조온으로도, 누루캉으로도, 아쓰캉으로도 마실 수 있습니다. 그 온도에 따라 술맛도 달라집니다.

오랫동안 데워진 술이 일반적이었지만, 맛있게 마시는 방법은 브랜드와 계절에 따라 달라집니다.

덥고 습한 여름에는 차가운 것이 상쾌하고, 추운 겨울 밤에는 따뜻하게 데운 것을 추천합니다.

사케는 종류에 따라 맛이 다릅니다. 자신의 취향에 따라 아마쿠치부터 가라쿠치까지 선택할 수 있습니다.

와인과 마찬가지로 사케 양조장은 대형 제조사 이외에 지방 특유의 작은 것이 많이 있습니다.

작은 양조장의 사케는 지자케라고 하며, 오늘날 매우 인기가 있습니다.

가라쿠치부터 아마쿠치까지 양조장마다 다른 브랜드를 만들기 위해서 비전의 기법이 있습니다.

□ 大きな百貨店や酒屋には、日本中の醸造所で造られたいろいろな銘柄があります。

□ 純米酒とは醸造過程でアルコールを添加していない酒のことです。

□ 本醸造酒とは、醸造前に米を30％精米した酒のことです。

□ 吟醸酒とはよりすっきりとした味わいを求めて、米を40％精米した酒のことです。

□ 大吟醸酒とは、米を50％精米した酒で、上質の酒であると考えられています。

□ 生酒とは滅菌されていない酒のことです。

□ ワインテイスティングのように、利き酒という酒の味見も面白い経験となるでしょう。

□ 徳利という陶器製の瓶と猪口という小さな陶器の茶碗は、ぬる燗や熱燗のための伝統的な食器です。

□ 冷酒は普通コップで出されます。

□ 升という正方形の木でできた計量器は、常温の酒を飲むときによく使われます。

□ 杉でできた升のいい匂いで、酒の味が引き立ちます。

□ 酒はまた、和食の料理の味を高めるためにも使われます。

□ 酒はまた神道にとっても非常に大切なアルコール飲料です。

□ 酒は神に供えられるので、神道の儀式では聖水と見なされています。

□ 酒は神社ではお神酒と呼ばれ、神社の神に供えられます。

□ 日本人の友人と一緒であれば、酒やビールを相手のコップに注いであげるのは普通のことです。

큰 백화점이나 사케 판매점에는 일본 전역의 양조장에서 만들어진 다양한 브랜드가 있습니다.

준마이슈란 양조 과정에서 알코올을 첨가하지 않은 술을 말합니다.

혼조조슈는 양조 전에 쌀을 30% 정미한 술을 말합니다.

긴조슈는 보다 깔끔한 맛을 위해 쌀을 40% 정미한 술을 말합니다.

다이긴조슈란 쌀을 50% 정미한 술로 고품질의 술이라고 여겨집니다.

나마자케란 멸균되지 않은 술을 말합니다.

와인 테이스팅처럼 기키자케라는 맛보는 술도 재미있는 경험이 될 것입니다.

도쿠리라는 도자기 병과 조코라는 작은 도자기 찻잔은 누루캉이나 아쓰캉을 위한 전통적인 식기입니다.

차가운 사케는 보통 컵에 나옵니다.

마스라는 정사각형의 나무로 된 계량기는 상온의 술을 마실 때 자주 사용됩니다.

삼나무로 만든 마스는 좋은 냄새로 술맛이 돋보입니다.

사케는 또한 일식의 맛을 높이기 위해서도 사용됩니다.

사케는 또한 신도에 있어서도 매우 중요한 알코올 음료입니다.

사케는 신에게 바쳐지기 때문에 신도 의식에서는 성수로 간주됩니다.

사케는 신사에서는 오미키라고 불리며 신사의 신에게 바쳐집니다.

일본인 친구와 함께라면 사케나 맥주를 상대방의 컵에 따라주는 것이 일반적입니다.

□ 他人に酒を注ぐ習慣をお酌といいます。

□ 最初の一杯が注がれると、いよいよ「乾杯！」というときです。

□ 乾杯とは、杯をあけようの意です。

□ 日本では乾杯したときに、韓国のように酒を飲み干す必要はありません。

焼酎

□ 焼酎は日本の蒸留酒で、米、麦、芋、黒糖などから造られます。

□ 酒と同様、日本中に焼酎の蒸留所が多数あります。

□ 鹿児島県はサツマイモで造る焼酎で有名です。

□ 泡盛は沖縄の有名な焼酎で、地元の米で造ります。

□ 黒糖で造る焼酎は、日本の南の島々で人気があります。

□ 最近、焼酎が大人気で、焼酎カクテルがたくさん生み出されています。

□ 伝統的に焼酎はお湯割りで飲まれていました。

□ 昨今、焼酎をロックで飲むのが流行っています。

남에게 술을 따르는 관습을 오샤쿠라고 합니다.

첫 잔을 따라주면 드디어 <건배!>라고 할 때입니다.

건배란 술잔을 비우라는 뜻입니다.

일본에서는 건배했을 때 한국처럼 술을 다 마실 필요가 없습니다.

쇼추

쇼추는 일본의 증류주로 쌀, 보리, 고구마, 흑설탕 등으로 만들어집니다.

사케와 마찬가지로 일본 전역에 쇼추 증류소가 많이 있습니다.

가고시마 현은 고구마로 만드는 쇼추로 유명합니다.

아와모리는 오키나와의 유명한 쇼추로 현지의 쌀로 만듭니다.

흑설탕으로 만드는 쇼추는 일본 남쪽의 섬들에서 인기가 있습니다.

요즘 쇼추의 인기가 많아서 쇼추 칵테일이 많이 나오고 있습니다.

전통적으로 쇼추는 뜨거운 물에 섞어 마셨습니다.

요즘에는 쇼추를 온더록으로 마시는 것이 유행입니다.

知っておくと役に立つ韓国語講座［2］

◆ 似ているようで違う韓国語

　日本と韓国は同じ単語を使っても、その意味は似ているが厳密には違うという場合がよくあります。例えば、日本の旅館（료칸）は伝統的な宿泊施設で温泉を備えた高級な保養地という感じですが、韓国の旅館（여관）はホテルより安い宿泊施設を指します。

　本文で紹介されている様々な日本食はそれに相当する韓国語の単語がありますが、やはり似ていても違うことがあります。

寿司 / 초밥：日本語の寿司（스시）にあたる韓国語は 초밥（酢飯）です。초밥 は「酢で味付けしたごはん」という意味で、正確には日本の寿司のシャリにあたります。日本の寿司と韓国の 초밥 には大きな差がありません。韓国にいる 초밥 の料理人のほとんどが日本で学んできたからです。若干の違いはといえば、日本は鮮魚を主に使う反面、韓国は活魚（生きた魚をその場でさばく）を主に使うという点です。

刺身 / 회：日本語の刺身（사시미）は韓国語では 회 といいます。寿司と同じように韓国の 회 は生きている魚をその場でさばく活魚の刺身が主流です。そのため、韓国の刺身屋に行くと大きな水槽の中に生きている魚を見ることができます。

おでん / 어묵：日本語のおでん（오뎅）にあたる韓国語は 어묵 です。日本では冬になると思い浮かぶおでんは、韓国でも寒い冬の屋台でよく見かける食べ物です。一般的におでんとトッポッキを一緒に売っています。

天ぷら / 튀김：日本の天ぷら（덴푸라）にあたる韓国語は 튀김 で、動詞「튀기다（揚げる）」の名詞形です。日本と同じように韓国でもいろいろな材料を油で揚げて食べますが、日本の天ぷらより衣が少し厚めです。

鍋物 / 찌개：日本の鍋物（나베모노）と韓国の 찌개 はよく似ている料理です。韓国の 찌개 は味噌やコチュジャンをベースにいろいろな野菜や豆腐、肉などを入れて作ります。入っている主な材料によってキムチチゲ、味噌（テンジャン）チゲ、スンドゥブチゲなどと呼ばれます。

和牛 / 한우：日本産の牛肉を和牛（와규）、韓国産の牛肉を韓牛（한우）と呼びます。カルビ、ヒレ、ロースなどを食べる韓牛は価格が非常に高い高級な食材です。

焼き鳥 / 닭꼬치：韓国では鶏が材料だと 닭꼬치（鶏の串刺し）、羊が材料だと 양꼬치（羊の串刺し）、その他の材料では一般的に 꼬치구이（串焼き）と呼ばれます。焼き鳥は日本発祥の料理という認識が一般的で、おでん、トッポッキと並んで屋台でよく見かけます。

おにぎり / 주먹밥：韓国の 주먹밥 は野菜、のり粉などの材料を入れて、いろいろな味付けをしたごはん（日本でいう混ぜごはん）を手で握って作る料理です。日本のおにぎり（오니기리）と材料や作り方はよく似ていて、今日では 주먹밥 とおにぎりを同義語として扱う傾向にあります。

そば / 메밀국수：日本語のそば（소바）にあたる韓国語は 메밀 です。韓国でも昔から 메밀 で麺（국수）を作って食べてきましたが、つゆにつけて食べる和風そば以外にも、冷麺（냉면）やキムチの汁に盛り付けて食べるマッククス（막국수）も、その麺はそば粉から作られています。

ラーメン / 라면：韓国でラーメン（라면）といえばインスタントラーメンのことを指し、生麺を使うラーメンは一般的ではありません。そのため、日本式のラーメンを表すときは「라멘」という日本語の発音表記をそのまま使います。

懐石料理 / 한정식：日本の懐石料理（가이세키 요리）にあたる韓国の正餐を韓定食（한정식）と呼びます。きれいに盛り付けられた食べ物が少しずつ、次々と出てくる懐石料理とは違い、一度に数十種類の料理がテーブルの上にたくさん並べられるのがその特徴です。

朝鮮半島の南西部に位置する全羅道は、韓国では「食の都」といわれています。全羅道料理の特徴はその 반찬（おかず）の多さで、韓定食はまさにその代表といえます。

韓屋とオンドル

　韓屋（한옥）とは韓国の伝統家屋の形態で、朝鮮半島の環境と韓国人の伝統的な衣食住の生活パターンに合わせて発展しました。

　韓屋というとよく木造の瓦葺き屋根の家が思い浮かべられますが、これはお金持ちの家が多く、藁と黄土で建てられた藁葺き屋根の家も韓屋に属します。地域や財産、地位によって異なりますが、韓屋は主に木、土、石、藁などを利用して建てられます。木と藁で骨組みを作り、黄土を塗って壁を作り、壁がある程度固まったら韓紙を貼って仕上げます。石を使う場合は、床下に使ってオンドル（온돌）を内蔵させて、台所と連結します。

　オンドルは床を温める韓国の伝統的な家屋暖房システムです。台所のかまどから火を起こし、かまどから生成された熱気を含んだ熱い煙が、部屋の床下に敷かれた板石の下を通りながら暖房され、その煙はオンドルの端の煙突から抜け出るという方式です。そのため、韓屋の台所は部屋より低いところに位置し、さらに屋根との間には屋根裏部屋を作って利用しました。

　韓屋は、現在ではソウルの一部地域と全州韓屋村などの観光地にその一部が残っています。

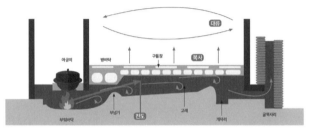

オンドルのしくみ

第3章

日本の四季と生活

季節と生活
習慣とマナー

日本の四季

일본의 사계절

카루타
カルタ p.115

가가미 모치
鏡餅

가도마쓰
門松 p.113

하나미
花見 p.119

하나닌교
ひな人形 p.117

고이노보리
鯉のぼり *p.119*

다나바타 (칠석)
七夕 *p.121*

쓰키미 (달맞이)
お月見 *p.123*

오주겐·오세이보
お中元·お歳暮 *p.125*

시치고산
七五三 *p.125*

季節と生活

お正月の過ごし方から、花見、節句、お彼岸、お月見、そしてクリスマスから大晦日と、日本の1年を四季をおって紹介します。

導入

- [ ] 日本の生活や習慣は、季節の移り変わりと深くかかわっています。

- [ ] 日本は農業国だったので、日本人の生活は季節の移り変わりに強く影響されました。

- [ ] 日本は温帯にあるので、その生活や習慣は季節の移り変わりと深くかかわっています。

- [ ] 世界の多くの場所がそうであるように、日本でも季節の移り変わりに応じて、たくさんの催しや祭りが行われます。

- [ ] 世界の多くの場所がそうであるように、日本でも宗教や地域の伝説に基づいて、たくさんの催しや祭りが行われます。

正月

- [ ] お正月とは、新年のことです。

- [ ] 新年を迎えて初めて人と会ったときは、「明けましておめでとうございます」と言います。

- [ ] お正月とは新年を意味し、日本人にとっては最も重要な祝日です。

- [ ] 日本人は、12月末から1月初旬の間に休暇を取ります。

- [ ] 日本人は、12月末から1月初旬の間に休暇を取り、お正月を家族と過ごします。

正月の習慣

- [ ] お正月には、日本人は多くの伝統的な習慣に従います。

初詣（湯島天神・東京都）

도입

일본의 생활이나 관습은 계절의 변화와 깊이 관련되어 있습니다.

일본은 농업국이었기 때문에 일본인의 생활은 계절의 변화에 강하게 영향을 받았습니다.

일본은 온대에 있기 때문에 그 생활과 관습은 계절의 변화와 깊이 관련되어 있습니다.

세계의 많은 장소가 그렇듯이, 일본에서도 계절의 변화에 따라 많은 행사나 축제가 행해집니다.

세계의 많은 장소가 그렇듯이, 일본에서도 종교나 지역의 전설을 바탕으로 많은 행사와 축제가 열립니다.

정월

정월이란 새해를 말합니다.

새해를 맞아 처음 사람을 만났을 때는 <아케마시테 오메데토 고자이마스(새해 복 많이 받으세요)>라고 말합니다.

정월이란 새해를 의미하며, 일본인에게는 가장 중요한 공휴일입니다.

일본인은 12월 말에서 1월 초 사이에 휴가를 냅니다.

일본인은 12월 말에서 1월 초 사이에 휴가를 내고 정월을 가족과 보냅니다.

정월의 관습

정월에 일본인은 많은 전통적인 관습을 따릅니다.

- [ ] 初詣とは、新年の最初に神社をお参りする習慣です。

- [ ] 年賀状とは、お正月を祝うために日本人の間で交換されるはがきのことです。

- [ ] 年賀状とは、お正月を祝うために交換されるはがきのことです。でも最近の若い人たちの多くは、メールで年賀のやり取りをしています。

- [ ] 仕事始めとは、新年に日本人が仕事を始める日のことです。普通は1月5日から働き始めます。

- [ ] 初荷とは「最初の荷物」のことで、こういった荷物はお正月を祝うために特別な 幟 を掲げたトラックで運ばれます。

- [ ] 門松とは、お正月を迎えるために竹と松の枝で作られた伝統的な飾り付けのことです。

- [ ] 注連縄飾りとは、藁と紙でできた特別なお正月の飾りのことです。

- [ ] 注連縄飾りとは、藁と紙でできた特別なお正月の飾りのことです。玄関に吊るされ、家を悪事から守ってくれます。

門松

正月の料理

- [ ] おせち料理とは、お正月用に特別に調理され重箱に入れられた食べ物です。

- [ ] 伝統的に日本人はお正月には家族とおせち料理を食べます。おせち料理とは、お正月用に特別に調理され重箱に入れられた食べ物です。

- [ ] 日本人はお正月に、特別に調理され重箱に入ったおせち料理と餅を食べます。

- [ ] 日本人はお正月に、おとそという薬酒のようなものを飲みます。

- [ ] おとそとは特別な薬酒のようなもので、お正月に出されます。

- [ ] （伝統的に、）お正月は1月7日に終わります。

하쓰모데는 새해 첫 번째로 신사를 참배하는 관습입니다.

연하장이란 정월을 축하하기 위해 일본인 사이에 교환되는 엽서를 말합니다.

연하장이란 정월을 축하하기 위해 교환되는 엽서를 말합니다. 하지만 요즘 젊은 사람들 대부분은 메일로 연하를 주고 받습니다.

시무식이란 새해에 일본인이 일을 시작하는 날을 말합니다. 보통은 1월 5일부터 일하기 시작합니다.

하쓰니란 첫 짐이라는 의미로, 이런 짐은 설날을 축하하기 위해 특별한 기치를 내건 트럭으로 운반됩니다.

가도마쓰란 정월을 맞이하기 위해 대나무와 소나무 가지로 만든 전통적인 장식을 말합니다.

시메나와 가자리란 짚과 종이로 된 특별한 정월 장식을 말합니다.

시메나와 가자리란 짚과 종이로 된 특별한 정월 장식을 말합니다. 현관에 매달려서 집안을 나쁜 일로부터 지켜줍니다.

注連縄飾り

정월의 요리

오세치 요리는 정월용으로 특별히 조리되어 찬합에 담긴 음식입니다.

전통적으로 일본인은 정월에 가족과 오세치 요리를 먹습니다. 오세치 요리는 정월용으로 특별히 조리되어 찬합에 담긴 음식입니다.

일본인은 정월에 특별히 조리되어 찬합에 든 오세치 요리와 떡을 먹습니다.

일본인은 정월에 오토소라는 약주 같은 것을 마십니다.

오토소라는 것은 특별한 약주 같은 것으로 정월에 나옵니다.

(전통적으로) 정월은 1월 7일에 끝납니다.

☐ (伝統的に、) お正月は1月7日に終わります。その日は、7種類の野草で作られたお粥を食べます。その粥は、七草がゆと呼ばれます。

正月の遊び

☐ お正月には伝統的に、男の子は凧揚げを楽しみます。

☐ 百人一首とは、お正月に行われるカードゲームで、中世の100人の有名人によって詠まれた和歌の (上下の) 句を合わせなければなりません。

☐ お正月に、子どもたちはカルタという日本の伝統的なカードゲームを楽しみます。女の子は羽根つきをします。これも伝統的な遊びで、バドミントンのようなものです。

☐ 羽根つきは、昔からある日本のバドミントンのようなもので、お正月の女の子たちの遊びです。

☐ 羽根つきには、羽子板という美しく装飾された木のラケットが使われます。

節分

☐ 節分とは、太陰暦による春のはじまりの前日のことです。

☐ 節分は春を幸せに迎えるために、豆まきをすることで知られています。

☐ 節分には、悪いことを追い払い、幸せを呼び寄せる豆まきという伝統的な習慣があります。

バレンタインデー

☐ 2月14日のバレンタインデーに日本ではチョコレートをあげる習慣があります。ユニークなことは、一般に女性が男性にプレゼントします。

☐ 日本でユニークなのは、バレンタインデーに普通女性だけが男性にチョコレートを贈ることです。

☐ バレンタインデーにチョコレートを贈る習慣は、キリスト教に基づくものではありません。製菓会社が始めたとされています。

☐ 多くの場合、愛する人にだけチョコレートを贈るのではなく、職場の同僚にも贈ります。

(전통적으로) 정월은 1월 7일에 끝납니다. 그 날은 7가지 야생초로 만든 죽을 먹습니다. 그 죽은 나나쿠사 가유라고 불립니다.

정월의 놀이

정월에 전통적으로 남자아이는 연날리기를 즐깁니다.

햐쿠닌잇슈란 정월에 하는 카드게임으로 중세 100명의 유명인사들이 지은 와카의 (상하의) 구를 맞춰야 합니다.

정월에 아이들은 카르타라는 일본의 전통적인 카드 게임을 즐깁니다. 여자아이는 하네쓰키를 합니다. 이것도 전통 놀이로 배드민턴 같은 것입니다.

하네쓰키는 옛날부터 있던 일본의 배드민턴과 같은 것으로, 정월 여자아이들의 놀이입니다.

하네쓰키에는 하고이타라는 아름답게 장식된 나무 라켓이 사용됩니다.

세쓰분

세쓰분은 태음력에 의한 봄의 시작 전날을 말합니다.

세쓰분은 봄을 행복하게 맞이하기 위해 마메마키(콩 뿌리기)를 하는 것으로 알려져 있습니다.

세쓰분에는 나쁜 것을 쫓고 행복을 불러오는 마메마키라는 전통적인 관습이 있습니다.

발렌타인데이

2월 14일, 발렌타인데이에 일본에서는 초콜릿을 주는 관습이 있습니다. 독특한 것은 일반적으로 여성이 남성에게 선물합니다.

일본에서 독특한 것은 발렌타인데이에 보통 여성만이 남성에게 초콜릿을 줍니다.

밸런타인데이에 초콜릿을 주는 관습은 기독교에 근거한 것이 아닙니다. 제과회사가 시작했다고 합니다.

대부분의 경우 사랑하는 사람에게만 초콜릿을 주는 것이 아니라 직장 동료에게도 선물합니다.

- [ ] 職場の同僚に贈られるバレンタインデーのチョコレートは、義理チョコと呼ばれます。文字通り、（愛はないけれど）義理で贈るチョコレートの意味です。

- [ ] バレンタインデーの1ヵ月後は、男性がチョコレートで女性にお返しをする番です。普通はホワイトチョコが贈られます。

- [ ] 3月14日のホワイトデーとは、男性が女性にホワイトチョコを贈る日です。この習慣も、チョコレートを作る会社の販売戦略の結果できたものです。

お彼岸

- [ ] 春分の日と秋分の日は日本では「お彼岸」と呼ばれます。

- [ ] 春分の日と秋分の日は日本では「お彼岸」と呼ばれます。人々は先祖の墓をお参りし敬意を表します。

- [ ] 春分の日と秋分の日は日本人にとっては休日となります。仏教の習慣に基づき、先祖に敬意を表したいと願うからです。

桃の節句・端午の節句

- [ ] 節句は、古代中国からきた習慣であり、3月と5月の節句では、子どもたちの健康と将来を祝います。

- [ ] 3月3日の節句は女の子のためのもので、5月5日の節句は男の子のためのものです。

- [ ] 3月3日は、桃の節句と呼ばれています。太陰暦で桃の花が咲く季節だからです。

- [ ] 3月3日の節句は女の子のためのもので、親は階段状の台にお雛様という伝統的な人形を飾ります。

- [ ] お雛様は美しく装飾された伝統的な人形で、3月3日の節句に使われます。この習慣により、3月3日の節句は雛祭りとも呼ばれています。

- [ ] 5月5日は端午の節句と呼ばれ、男の子のためのものです。

- [ ] 端午の節句の頃、男の子をもつ家では、鯉を模した管状の吹き流しをあげ、男の子が元気で強く育つことを願います。

직장 동료에게 주는 발렌타인데이 초콜릿은 의리 초콜릿이라고 불립니다. 말 그대로 (사랑은 없지만) 의리로 주는 초콜릿을 의미입니다.

밸런타인데이 한 달 후에는 남성이 초콜릿으로 여성에게 답례를 할 차례입니다. 보통은 화이트 초콜릿을 줍니다.

3월 14일, 화이트데이는 남자가 여자에게 화이트 초콜릿을 주는 날입니다. 이 관습도 초콜릿을 만드는 회사의 판매 전략의 결과 생긴 것입니다.

히간

춘분의 날과 추분의 날은 일본에서는 히간이라고 불립니다.

춘분의 날과 추분의 날은 일본에서는 히간이라고 불립니다. 사람들은 조상의 묘를 참배하고 경의를 표합니다.

춘분의 날과 추분의 날은 일본인에게는 휴일입니다. 불교의 관습에 따라 선조에게 경의를 표하고 싶어하기 때문입니다.

셋쿠

셋쿠는 고대 중국에서 온 관습으로 3월과 5월의 셋쿠에서는 아이들의 건강과 장래를 기원합니다.

3월 3일의 셋쿠는 여자아이를 위한 것이고, 5월 5일의 셋쿠는 남자아이를 위한 것입니다.

3월 3일은 복숭아 셋쿠라고 불립니다. 태음력으로 복숭아꽃이 피는 계절이기 때문입니다.

3월 3일의 셋쿠는 여자아이를 위한 것으로, 부모는 계단 모양의 받침대에 오히나사마라는 전통적인 인형을 장식합니다.

오히나사마는 아름답게 장식된 전통 인형으로 3월 3일의 셋쿠에 사용됩니다. 이 관습에 의해 3월 3일의 셋쿠는 히나마쓰리라고도 불립니다.

5월 5일은 단오절이라고 불리며 남자아이들을 위한 것입니다.

단오절 무렵 남자아이를 둔 집에서는 잉어를 본뜬 관 모양의 장식을 올려 남자아이가 건강하고 강하게 자라기를 바랍니다.

- [ ] 鯉のぼりとは鯉を模した管状の吹き流しで、5月5日の男の子の節句を祝うものです。

- [ ] 端午の節句の頃、男の子の親は特別な台を作り、伝統的な侍の人形やミニチュアの甲冑を飾ります。

桜と花見

- [ ] 桜の花は、日本では春のシンボルです。

- [ ] 桜の花の季節はわずか1週間くらいしかつづきません。

- [ ] 桜前線とは桜の花の前線のことで、各地の開花に応じて日本中を移動します。

- [ ] 日本人は桜の開花を春到来のしるしにしています。

- [ ] 桜の開花日をカウントダウンするために、日本人は天気予報で桜前線ということばを使います。

- [ ] 桜前線とは、桜が開花する前線のことです。それは南から北上してくる春の到来を象徴するものです。

- [ ] 春は南から北上してくるので、日本人は桜の開花を春の到来であると見なします。

- [ ] 一般的に、桜前線は3月の終わりに九州に到達します。

- [ ] 一般的に、桜前線は3月の終わりに九州に到達します。そして、日ごとに日本列島を北上していきます。

- [ ] 日本人は桜の花の下でのピクニックを楽しむことが好きです。

- [ ] 日本人は桜の花の下に集ってピクニックを楽しむのが好きです。この習慣は日本語で「花見」と呼ばれます。

고이노보리란 잉어를 본뜬 관 모양의 장식으로, 5월 5일 남자아이의 셋쿠를 축하하는 것입니다.

단오절 무렵 남자아이의 부모는 특별한 받침대를 만들어 전통 사무라이 인형이나 미니어처 갑옷을 장식합니다.

벚꽃과 하나미

벚꽃은 일본에서는 봄의 상징입니다.

벚꽃의 계절은 불과 일주일 정도밖에 지속되지 않습니다.

벚꽃 전선이란 벚꽃이 피는 전선을 말하며 각지의 개화에 따라 일본 전역을 이동합니다.

일본인은 벚꽃 개화를 봄의 도래라고 생각하고 있습니다.

벚꽃 개화일을 카운트다운하기 위해 일본인은 일기예보에서 벚꽃 전선이라는 말을 사용합니다.

벚꽃 전선은 벚꽃이 개화하는 전선을 말합니다. 그것은 남쪽에서 북상하는 봄의 도래를 상징하는 것입니다.

봄은 남쪽에서 북상하기 때문에 일본인들은 벚꽃 개화를 봄의 도래로 간주합니다.

일반적으로 벚꽃 전선은 3월 말에 규슈에 도달합니다.

일반적으로 벚꽃 전선은 3월 말에 규슈에 도달합니다. 그리고 날마다 일본 열도를 북상합니다.

일본인은 벚꽃 아래에서 피크닉을 즐기는 것을 좋아합니다.

일본인은 벚꽃 아래에 모여 피크닉을 즐기는 것을 좋아합니다. 이 관습은 일본어로 하나미라고 불립니다.

ゴールデンウィーク

☐ ゴールデンウィークとは4月末から5月初旬にかけての期間のことで、何日かの休日が続きます。

☐ ゴールデンウィークには、日本人は仕事を休んで休暇を楽しみます。

☐ ゴールデンウィークは晩春の時期であり、天気がとてもよく、多くの人が家族や友だちと外で時間を過ごします。

☐ ゴールデンウィーク中は、電車、飛行機、高速道路などが、とても混雑します。

衣替え

☐ 衣替えとは、6月1日と10月1日にそれぞれ夏服と冬服を取り替える日本人の習慣のことです。

☐ 多くの場合、衣替えは制服を着用しているところで行われます。

☐ 衣替えは、ほとんどの学校、工場、百貨店などの制服を着用する職場で、年に2度行われます。

☐ 多くの会社には気候に合わせた2種類の制服があり、従業員に年に2回着替えさせるようにしています。この習慣を日本で衣替えと呼びます。

夏の風物詩

☐ 夏になると日本人は、ビアガーデンと呼ばれる屋上の店に集まってビールを楽しみます。

☐ 夏には、仏教の儀式に基づいた伝統的な祭りが日本全国で開かれます。

☐ 七夕は7月7日に行われる祭りで、星の伝説に基づいています。

☐ 星座の伝説によると、愛する2人が天の川によって引き裂かれ、1年に1度、7月7日の七夕の間だけ会うことができるのです。

골든위크

골든위크란 4월 말부터 5월 초에 걸친 기간을 말하며, 며칠간 휴일이 계속됩니다.

골든위크에 일본인은 일을 쉬고 휴가를 즐깁니다.

골든위크는 늦봄 시기이며 날씨가 매우 좋아 많은 사람들이 가족이나 친구들과 밖에서 시간을 보냅니다.

골든위크 중에는 전철, 비행기, 고속도로 등이 매우 혼잡합니다.

고로모가에

고로모가에란 6월 1일과 10월 1일에 각각 여름옷과 겨울옷으로 교체하는 일본인의 관습을 말합니다.

대부분의 경우 고로모가에는 제복을 착용하고 있는 곳에서 이루어집니다.

고로모가에는 대부분 학교, 공장, 백화점 등 제복을 착용하는 직장에서 1년에 두 번 이루어집니다.

많은 회사에는 기후에 맞는 두 종류의 제복이 있어 직원들이 1년에 두 번 옷을 갈아입도록 하고 있습니다. 이 관습을 일본에서 고로모가에라고 부릅니다.

여름의 풍물시

여름이 되면 일본인들은 비어가든이라고 불리는 옥상 술집에 모여 맥주를 즐깁니다.

여름에는 불교 의식에 기반한 전통적인 축제가 일본 전국에서 열립니다.

다나바타(칠석)는 7월 7일에 열리는 축제로 별의 전설을 바탕으로 하고 있습니다.

별자리 전설에 따르면, 사랑하는 두 사람이 은하수로 인해 헤어져 1년에 한 번 7월 7일 칠석 동안에만 만날 수 있습니다.

- [ ] 日本人は竹を切って、願い事を書いた小さな紙切れをその枝に結びつけます。

- [ ] 全国高校野球大会は日本人に最も人気のある夏のイベントの一つです。

- [ ] 毎夏、全国高校野球大会が甲子園球場で開催されます。

お盆

- [ ] お盆は真夏の時期にあり、人々は家族と一緒に過ごし、一家の墓を訪れます。

- [ ] お盆は仏教の習慣に基づく重要な休日であり、日本人は先祖に敬意を表します。

- [ ] 多くの人たちはお盆の間に1週間の休みを取り、家族と過ごします。

- [ ] お盆の頃になると、日本人はよく家族を訪れるために旅行します。そのため、空港や駅は非常に混雑します。

- [ ] 長崎では、お盆に精霊流しが行われます。

- [ ] 精霊流しとは、紙灯籠を川に流す習慣のことです。その灯籠は、この12ヵ月以内に亡くなった人たちの魂を象徴したものです。

- [ ] 8月15日は、第二次世界大戦の終戦記念日です。

- [ ] 8月15日はお盆と第二次世界大戦の終戦記念日が重なります。

- [ ] 8月15日は、第二次世界大戦の終戦記念日です。そして、その戦争中に300万人以上の兵士と民間人が亡くなったので、日本人にとっては非常に重要な日です。

秋の風物詩

- [ ] 日本では、秋は読書やスポーツを楽しむ季節であるといわれています。

- [ ] 昔から日本人は、9月中旬の満月を見ることをとても好みました。この習慣は日本語で「月見」といいます。

- [ ] 太陰暦では、菊を楽しむ季節は9月でしたが、西洋暦では10月になります。

일본인은 대나무를 잘라서, 소원을 적은 작은 종이 조각을 그 가지에 묶어둡니다.

전국 고교 야구 대회는 일본인들에게 가장 인기 있는 여름 이벤트 중 하나입니다.

매년 여름 전국 고교 야구 대회가 고시엔 구장에서 개최됩니다.

오봉

오봉은 한여름 시기에 있고, 사람들은 가족과 함께 보내며 가족의 묘를 방문합니다.

오봉은 불교 관습에 기초한 중요한 휴일이며, 일본인은 조상에게 경의를 표합니다.

많은 사람들은 오봉 동안 일주일간 휴가를 내고 가족과 보냅니다.

오봉 무렵이 되면 일본인은 자주 가족을 방문하기 위해 여행합니다. 그래서 공항이나 역이 매우 혼잡합니다.

나가사키에서는 오봉에 쇼로나가시가 열립니다.

쇼로나가시란 종이로 만든 등을 강에 흘려보내는 관습을 말합니다. 그 등불은 지난 12개월 안에 죽은 사람들의 영혼을 상징하는 것입니다.

8월 15일은 제2차 세계대전 종전기념일입니다.

8월 15일은 오봉과 제2차 세계대전 종전기념일이 겹칩니다.

8월 15일은 제2차 세계대전 종전기념일입니다. 그리고 그 전쟁 중에 300만 명 이상의 병사와 민간인이 죽었기 때문에 일본인에게는 매우 중요한 날입니다.

가을의 풍물시

일본에서 가을은 독서와 스포츠를 즐기는 계절이라고 알려져 있습니다.

옛날부터 일본인들은 9월 중순 보름달을 보는 것을 매우 좋아했습니다. 이 관습은 일본어로 쓰키미(달맞이)라고 합니다.

태음력으로 국화를 즐기는 계절은 9월이었지만 서양력으로는 10월입니다.

☐ 秋になって葉が色を変え始めると、日本人は山へ行ったり、京都などの伝統的な町を訪れます。

☐ 秋になると、農家は豊作を祝い、秋祭りを楽しみます。

七五三

☐ 七五三とは、11月15日に行われる7歳、5歳、3歳児を祝う年中行事で、男の子は5歳になったとき、女の子は3歳と7歳になったときに祝います。

☐ 七五三では、5歳になった男の子や3歳か7歳になった女の子が可愛らしい着物を着て神社をお参りし、健康と将来の成功を祈ります。

お中元とお歳暮

☐ 真夏と年末には、感謝の意を示すために贈りものを交わします。

☐ お中元とは、日本人にとって真夏の贈答時期のことです。

☐ お中元とは、1年の真ん中で贈られるギフトのことです。

☐ お中元とは、1年の真ん中で贈られるギフトのことです。贈り物としてよくあるのが、飲み物や果物、食料品などです。

☐ お歳暮とは、年末の贈答時期のことをいいます。

☐ お中元やお歳暮のために、日本のデパートにとって真夏や年末は非常に重要な営業シーズンとなります。

クリスマスと忘年会

☐ クリスマスの時期になると、人々は買い物、食事、恋愛を楽しみます。

☐ ほとんどの日本人にとって、クリスマスは宗教的なイベントではありません。ただ、買い物や食事や恋愛にときめく時期なのです。

☐ 12月になると多くの日本人は、忘年会という宴会を開きます。そこで飲んだり食べたりしてこの一年の終わりを祝います。

가을이 되어 잎이 색을 바꾸기 시작하면 일본인은 산에 가거나 교토 등 전통적인 마을을 방문합니다.

가을이 되면 농가들은 풍년을 축하하고 가을 축제를 즐깁니다.

시치고산

시치고산이란 11월 15일에 열리는 7세, 5세, 3세 아동을 축하하는 연중행사로 남자아이는 5세가 되었을 때, 여자아이는 3세와 7세가 되었을 때 축하합니다.

시치고산에는 5세가 된 남자아이나 3세 또는 7세가 된 여자아이가 귀여운 기모노를 입고 신사를 참배하여 건강과 장래의 성공을 기원합니다.

오주겐과 오세이보

한여름과 연말에는 감사의 뜻을 표하기 위해 선물을 나눕니다.

오주겐이란 일본인에게 한여름의 선물 시기를 말합니다.

오주겐은 1년의 중간에 보내는 선물을 말합니다.

오주겐은 1년의 중간에 보내는 선물을 말합니다. 주로 선물하는 것은 음료나 과일, 식료품 등입니다.

오세이보는 연말의 선물 시기를 말합니다.

오주겐이나 오세이보 때문에 일본 백화점에 있어서 한여름이나 연말은 매우 중요한 영업 시즌입니다.

크리스마스와 송년회

크리스마스 시기가 되면 사람들은 쇼핑, 식사, 연애를 즐깁니다.

대부분의 일본인에게 크리스마스는 종교적인 이벤트가 아닙니다. 단지, 쇼핑이나 식사나 연애에 설레는 시기입니다.

12월이 되면 많은 일본인들은 송년회라는 연회를 엽니다. 거기서 마시고 먹으면서 이번 한 해의 끝을 축하합니다.

☐ 忘年会とは日本人が年末に開く宴会のことで、お互いに感謝し合い、お酒や食事を楽しみます。

☐ 仕事をしている人たちは、会社主催、部署主催、そして取引先との忘年会に参加するために忙しく、予定を合わせなければなりません。

大晦日

☐ 12月31日は大晦日と呼ばれます。

☐ 大晦日かその前日に多くの人は家や家具をきれいにします。年末は掃除をするのに最適です。

☐ 大晦日前に多くの人は年賀状というはがきを郵送します。これは元日に大切な人たちに届かなければなりません。

☐ 大晦日の夜、多くの人は新年を迎える習慣としてそばを食べます。

☐ 大晦日の夜にある人気テレビ番組は紅白歌合戦です。これには多くの歌手や有名人が登場します。

☐ 大晦日の真夜中頃、僧侶はお寺の鐘を108回つきます。

☐ お寺の鐘を108回つくこの習慣は除夜の鐘と呼ばれ、人々から108の煩悩を払い除け、新年を迎えるために身を清めます。

송년회란 일본인이 연말에 여는 연회로, 서로 감사하고 술이나 식사를 즐깁니다.

일하는 사람들은 회사 주최, 부서 주최, 그리고 거래처와의 송년회에 참석하기 위해 바쁘며, 일정을 맞춰야 합니다.

오미소카

12월 31일은 오미소카라고 불립니다.

오미소카나 그 전날에 많은 사람들은 집이나 가구를 깨끗하게 합니다. 연말은 청소를 하기에 최적입니다.

오미소카 전에 많은 사람들은 연하장이라는 엽서를 우송합니다. 이것은 새해 첫날 소중한 사람들에게 전달되어야 합니다.

오미소카의 밤, 많은 사람들은 새해를 맞이하는 관습으로 소바를 먹습니다.

오미소카의 밤에 있는 인기 TV 프로그램은 홍백가합전입니다. 여기에는 많은 가수와 유명인이 등장합니다.

오미소카의 자정 무렵 스님은 절의 종을 108번 칩니다.

절의 종을 108번 치는 이 관습은 제야의 종이라고 불리며, 사람들로부터 108번의 번뇌를 털어내고 새해를 맞이하기 위해 몸을 맑게 합니다.

除夜の鐘

習慣とマナー

日本の習慣やマナーを韓国語で説明できるようになりましょう。日本にしばらく滞在する人、ビジネスで駐在するには有用な情報です。

家に招かれる

☐ 日本人は家に入るとき靴を脱ぎます。

☐ 日本人の家に入るときは靴を脱がなければなりません。

☐ 家が伝統的であろうと現代的であろうと、日本人は家に入るとき靴を脱ぎます。

☐ 伝統的な和室では、じかに床に座ります。

☐ 伝統的な和室には椅子がなく、じかに床に座ります。

☐ 座布団とは、座るための日本のクッションです。

☐ 椅子に座る代わりに、日本人は座布団という平らなクッションのようなものに座ります。

☐ 外国の人にとって、日本式に正座するのは辛いことですが、韓国人にはなじみ深い姿勢です。

☐ あぐらとは、男性が足を組んで楽に座るやり方です。

☐ 女性は、片方に足を伸ばして座ることができます。そうすれば女性も足を休めることができます。

☐ ときには、日本人はソファに座らないでテレビの前に座って見ていることがあります。それは、日本人は床に座ったり、横になる方が心地よいのです。

집에 초대받다

일본인은 집에 들어갈 때 신발을 벗습니다.

일본인의 집에 들어갈 때는 신발을 벗어야 합니다.

집이 전통적이든 현대적이든, 일본인은 집에 들어갈 때 신발을 벗습니다.

전통적인 일본식 방에서는 직접 바닥에 앉습니다.

전통적인 일본식 방에는 의자가 없고 직접 바닥에 앉습니다.

방석은 앉기 위한 일본의 쿠션입니다.

의자에 앉는 대신 일본인은 방석이라는 평평한 쿠션 같은 것에 앉습니다.

많은 외국인들에게 일본식으로 정좌하는 것은 힘든 일이지만, 한국인들에게는 익숙한 자세입니다.

책상다리는 남자가 다리를 꼬고 편하게 앉는 방식입니다.

여성은 한쪽으로 다리를 뻗고 앉을 수 있습니다. 그러면 여자도 다리를 쉴 수 있습니다.

때로 일본인은 소파에 앉지 않고 TV 앞에 앉아서 보는 경우가 있습니다. 일본인은 바닥에 앉거나 눕는 것을 더 기분 좋아합니다.

座る位置

☐ 日本人の家に招かれると、床の間を背にした席を勧められます。

☐ 敬意を表すために、日本人は客に床の間を背にした上席に座るよう促します。

☐ 仕事で会社を訪問したときは、ドアとは反対側のソファを普通は勧められます。

ビジネスマナー

☐ 日本では、名刺交換は初めて会ったときに行います。

☐ 肩書きや職場が変わってなければ、同じ人と次に会ったときに再び名刺交換する必要はありません。

☐ 名刺を受け取るとき、両手で受け取るのが礼儀です。

☐ 日本人相手に名刺を差し出すときは、最もタイトルの高い人に最初に手渡します。

☐ 名刺を交換するとき、日本人は普通、丁寧にお辞儀します。

☐ 相手が海外から来たことがわかっているときは、日本人もときには軽くお辞儀しながら握手することがあります。

☐ 名刺はその人の顔であると考えられているので、名刺をもてあそんだり、相手の前でポケットに詰め込むのはよくありません。

☐ 名刺を受け取ったときは、自分の前のテーブルの上に丁寧に置くことです。そのとき上下が逆さにならないように気をつけなければなりません。

☐ 日本人と話すときはファーストネームは使わない方がいいでしょう。

☐ 日本人相手に話すときは、名字に「さん」をつけるのが一般的です。

☐ 相手の会社を訪問したときは、促されるか相手が席に着くまで座らないことです。

☐ 仕事の打ち合わせで座るときには、足を組むことはおすすめできません。

앉는 위치

일본인의 집에 초대를 받으면 도코노마를 등진 자리를 권유받을 수 있습니다.

경의를 표하기 위해 일본인은 손님에게 도코노마를 등진 상석에 앉도록 종용합니다.

일 때문에 회사를 방문했을 때는 문의 반대쪽 소파를 보통 권합니다.

비지니스 매너

일본에서 명함 교환은 처음 만났을 때 합니다.

직함이나 직장이 바뀌지 않았다면 같은 사람과 다음에 다시 만났을 때 명함을 교환할 필요가 없습니다.

명함을 받을 때 두 손으로 받는 것이 예의입니다.

일본인 상대에게 명함을 내밀 때는 가장 직책이 높은 사람에게 먼저 전달합니다.

명함을 교환할 때 일본인들은 보통 공손히 인사를 합니다.

상대가 해외에서 온 것을 알고 있을 때는 일본인도 때로는 가볍게 인사하면서 악수하는 경우가 있습니다.

명함은 그 사람의 얼굴이라고 생각되기 때문에 명함을 가지고 놀거나 상대방 앞에서 주머니에 넣는 것은 좋지 않습니다.

명함을 받았을 때는 내 앞테이블 위에 정중히 놓아야 합니다. 그때 위아래가 거꾸로 되지 않도록 조심해야 합니다.

일본인과 이야기할 때는 이름은 사용하지 않는 것이 좋습니다.

일본인 상대에게 말할 때는 성에 상(씨)을 붙이는 것이 일반적입니다.

상대방 회사를 방문했을 때는 재촉을 받거나 상대방이 자리에 앉을 때까지는 앉지 않습니다.

업무 협의로 앉을 때 다리를 꼬는 것은 권장할 수 없습니다.

☐ 顧客の会社での公式な会合の際は、座っているときは両手を膝の上に乗せ、背筋を
まっすぐに伸ばすのが普通です。

☐ 仕事の打ち合わせのとき、日本人はよくコーヒーかお茶をだしますが、ホスト側が
最初に口を付けてから飲むのが普通です。

お土産

☐ 日本人は旅行したときに、お土産という贈り物をする習慣があります。

☐ 日本人は旅行したとき、同僚やときには家族や親しい友人にもお土産を渡します。

☐ お土産は空港や主要駅で購入することができます。典型的なお土産はチョコやクッ
キー、地方の珍味などです。

結婚式

☐ 結婚式は神道かキリスト教の習慣に沿って行われ
ますが、ごくまれに仏教式で行われることがありま
す。

☐ ほとんどの場合、結婚式がカップルの信仰に基づい
て行われることはありません。

☐ 披露宴とは結婚パーティーのことで、ホテルや式場
の宴会場で開かれます。

☐ 披露宴で花嫁は、和装から洋装などにお色直しをします（その反対もあります）。

☐ 披露宴に招かれたら、受付で署名し、贈り物としてお祝い金を渡します。

☐ お祝いのお金は、祝儀袋という特別な贈答用の封筒にいれ、封筒に自分の名前を書
きます。

☐ 結納式では、花婿側の両親が花嫁側の両親を訪れ、結納金を贈ります。新しい妻を
家族として受け入れるためです。

고객의 회사에서 공식 모임을 할 경우, 앉아 있을 때는 양손을 무릎 위에 올리고 등을 곧게 펴는 것이 보통입니다.

업무 협의 때 일본인은 자주 커피나 차를 내오지만, 주최자 측이 먼저 입을 대고 마시는 것이 보통입니다.

오미야게

일본인은 여행했을 때 오미야게라는 선물을 하는 관습이 있습니다.

일본인은 여행했을 때 동료나 때로는 가족이나 친한 친구에게도 오미야게를 전달합니다.

오미야게는 공항이나 주요 역에서 구입할 수 있습니다. 전형적인 오미야게는 초콜릿이나 쿠키, 지방의 별미 등입니다.

결혼식

결혼식은 신도 또는 기독교 관습에 따라 거행되지만, 극히 드물게 불교식으로 거행될 수가 있습니다.

대부분의 경우 결혼식이 커플의 믿음에 따라 진행되지는 않습니다.

피로연은 결혼 파티를 말하며, 호텔이나 식장 연회장에서 열립니다.

피로연에서 신부는 일본 전통복에서 양장 등으로 스타일을 바꿉니다(그 반대도 있습니다).

피로연에 초대되면 접수처에서 서명하고 선물로 축의금을 전달합니다.

축의금은 축의금 봉투라는 특별한 선물용 봉투에 넣고 봉투에 자신의 이름을 씁니다.

예물식에서는 신랑 측 부모가 신부 측 부모님을 방문해 예물금을 드립니다. 새 아내를 가족으로 받아들이기 위해서입니다.

葬式

☐ 葬式は故人の家の信仰に基づいて行われます。

☐ お通夜は葬式の前夜に行われます。

☐ お通夜は葬式に似ていますが、儀式のあと故人の思い出を語り合うために食事に招かれます。

☐ 故人の家族と親しくなければ、食事の誘いを受ける必要はありません。

☐ お通夜の翌日に、主たる葬儀（告別式）が執り行われます。

☐ 告別式にでるときには、受付で署名し、香典という現金を収めます。

☐ 仏教式の葬儀の場合、棺が置かれた祭壇の前に行き、焼香して合掌します。

☐ 焼香とは仏教式の葬儀で行われる儀式のことで、香炉にお香をいれてから合掌します。

冠婚葬祭

☐ 冠婚葬祭は日本人の暮らしの中で最も重要な行事です。

☐ 冠婚葬祭とは日本人にとって重要な4つの儀式のことです。その4つの儀式には成人式、結婚式、葬式、法事があります。

☐ 成人式とは大人になったことを祝う儀式です。

☐ 日本では、長い間20歳になると成人したと見なされていましたが、2022年に18歳に引き下げられました。

☐ 1月の第2月曜日には、成人した人たちのために、各地域の役所が特別な儀式を行います。

☐ 成人の日は1月の第2月曜日にあり、成人した人たちを祝います。

☐ ほとんどすべての結婚式は神道かキリスト教の習慣に沿って行われます。

장례식

장례식은 고인의 집 신앙에 따라 치러집니다.

쓰야는 장례식 전날 밤에 이루어집니다.

쓰야는 장례식과 비슷하지만 의식 후 고인의 추억을 이야기하기 위해 식사에 초대됩니다.

고인의 가족과 친하지 않으면 식사 권유를 받을 필요가 없습니다.

쓰야 다음 날 주된 장례식이 본격적으로 치러집니다.

장례식에 나갈 때는 접수처에서 서명하고 부의금이라는 현금을 냅니다.

불교식 장례식의 경우 관이 놓인 제단 앞에 가서 분향하고 합장합니다.

분향은 불교식 장례식에서 거행되는 의식으로 향로에 향을 넣은 후 합장합니다.

관혼상제

관혼상제는 일본인의 생활에서 가장 중요한 행사입니다.

관혼상제란 일본인에게 중요한 네 가지 의식을 말합니다. 그 네 가지 의식에는 성인식, 결혼식, 장례식, 제사가 있습니다.

성인식이란 어른이 된 것을 축하하는 의식입니다.

일본에서는 오랫동안 20세가 되면 성인인 것으로 간주되었지만 2022년에 18세로 내려갔습니다.

1월 둘째 월요일에는 성인이 된 사람들을 위해 각 지역 관공서가 특별한 의식을 치릅니다.

성년의 날은 1월 둘째 월요일이며, 성인이 된 사람들을 축하합니다.

거의 모든 결혼식은 신도나 기독교 관습에 따라 거행됩니다.

☐ 冠婚葬祭の「葬」とは、故人を弔うための葬儀のことです。

☐ 葬儀の習慣、儀式は神道式か仏教式かで変わってきます。

☐ 冠婚葬祭の「祭」とは、故人の命日に開かれる特別な集まりのことです。

☐ 仏教式の場合、死後7日目と49日目、および3年目と13年目に行われるのが一般的です。

☐ 仏教式の場合、家族や親族は故人にお経をあげるために、僧侶を呼びます。

☐ 法事とは、仏教式の特別な行事のことで、命日からある期間の間に故人を弔うためにお祈りします。

관혼상제의 '상'이란 고인을 기리기 위한 장례식을 말합니다.

장례식의 관습, 의식은 신도식이냐 불교식이냐에 따라 달라집니다.

관혼상제의 '제'란 고인의 기일에 열리는 특별한 모임을 말합니다.

불교식의 경우 사후 7일 차와 49일 차 및 3년 차와 13년 차에 행해지는 것이
일반적입니다.

불교식의 경우 가족이나 친족은 고인에게 불경을 올리기 위해 승려를 부릅니다.

법사란 불교식의 특별한 행사로, 기일로부터 어느 기간 동안 고인을 기리기 위해
기도합니다.

知っておくと役に立つ韓国語講座［3］

◆ 韓国の代表的な祝日

설날（旧正月）：설날 は旧暦1月1日（現在の暦で1月下旬～2月中旬頃）で、韓国の代表的な명절（名節、祝日）です。설날 になると朝早く起きて 설빔（晴れ着、新しい韓服）に着替え、家の目上の人に新年の挨拶をしてから先祖の霊を迎え入れる祭礼を行います。その後は親戚や親しい隣近所の人たちと新年の挨拶をしながら、お祝いの言葉を交わします。そして 떡국（お雑煮）などの料理やお酒、수정과* などを楽しみます。

> ＊シナモンとショウガの煮汁に砂糖やハチミツなどを入れて冷やし、干し柿や松の実を加えた韓国伝統の飲み物。主に食後の口直しやデザート飲料として好まれている。

정월 대보름（小正月）：정월は「正月、睦月」、대보름 は「最大の満月」という意味で、旧暦1月15日のことです。新年初めての満月で「1年の中で最も明るく大きな満月が見られる日」といわれています。대보름 は月崇拝と関連したもので、この日には 부럼 깨기（クルミなどの殻に入った実を割って食べる）、더위팔기（暑さを売る）*、귀밝이술（耳を明るくするお酒、冷たい清酒）を飲むなどの福を祈る風習があります。村単位では 줄다리기（綱引き）、고싸움（大きな円状に結んだ縄同士をぶつけ合う集団戦）、차전놀이（縄で縛った木の先端に立つ人の指揮で相手方を先に地面につかせることを競う）など、農作業の豊作を祈る祭りを行います。以前の農耕社会では、설날 から 대보름 までの15日間を1年の農業を準備する期間として過ごしました。

> ＊その年の夏の暑さを前もって売って夏バテしないようにするという習わし。やり方は、대보름 の早朝に会った人に呼びかけ、相手が応えたら「내 더위 사가라（私の暑さを買っていって）」などというだけ。しかし、もし相手が先に「내 더위 먼저 사가라（私の暑さをまず先に買っていって）」などといったら、暑さが自分のところに来てしまうのだ。

한식（寒食）：한식 は冬至から数えて105日目の日で、太陽暦では4月5日頃です。この日は火の使用を禁じ、冷たいものを食べる古代中国の風習から始まったという説があります。今日ではその意味が大きく色あせ、火の使用を禁じられたり冷たいものを食べたりする風習はほとんど見られず、墓参りをして墓場を掃除したり芝生を新しく敷いたりするなどの先祖崇拝に関連した儀式だけが残っています。

단오（端午）：韓国の端午は旧暦5月5日で、奇数を陽の吉数とみなす「陰陽思想」から一年の中で陽の気が最も旺盛な日だとされていました。端午は5月、種まきを終えて神様に豊作を祈りながら飲酒や歌と舞を楽しむ祝祭であり、一方では夏に入る季節の変わり目で病気や様々な厄を防ぐ呪術的な性格も持っています。女性たちは厄除けの力があるという菖蒲湯で髪を洗い、また端午にお風呂に入ると無病になるということで「단오 물맞이（端午の水迎え）」をしました。端午は 설날、추석、힌식 と合わせた韓国の四大名節とされています。

추석（秋夕）：추석 は旧暦8月15日で、8月の真ん中または秋の真ん中の日という意味で「한가위（大きな秋の中心）」とも呼ばれます。추석 は一年の農作業を終えて収穫に感謝する祝日で、新羅時代から今日に至るまで韓国を代表する名節です。추석 には先祖に祭礼を行い、墓参りをして、村の祭りを行います。추석 の代表的な食べ物は新穀で作った 송편（松餅）です。近所の人たちと行う民俗遊びには、강강술래（カンガンスルレ）、綱引き、闘牛などがあります。特に、人々が互いに手を取り合って円になり、満月の下で回りながら踊る 강강술래 は単なる遊びというだけでなく、豊作を祈願する信仰的な意味も含んでいました。설날 と 추석 の連休には故郷の家を訪れる帰省の行列で交通の便が非常に混雑します。

강강술래

知っておきたい韓国のこと❸

韓服とチマチョゴリ

　韓国の伝統的な衣装である韓服（한복）は、現代では日常服ではなく特別な日に着る衣服になりました。韓服を着る代表的な日は、最大の祝日である旧正月と秋夕（→p.138, 139）、そして結婚式です。しかし、この風習でさえも今に至っては多くが消え、むしろ景福宮など文化財観光の際に韓服体験をする若者や観光客を多く見ることができます。これとは別に生活韓服とも呼ばれる、現代の日常生活でも着られるように機能的にデザインされた「改良韓服」を着る人も多くなりました。

　伝統的に上流層が着ていた韓服は色味が非常に多様で、普通幼い子どもたちは紅色や黄色など明るい色を多く着て、中年層はもう少し重厚な色を好んで着ました。しかし、ほとんどの人（庶民）たちは普段白い韓服だけを着ていたので、白い服を崇めるという意味の「白衣民族」と呼ばれるほどでした。上流層の韓服は模様も多様で、植物や動物、幾何学の形など様々な種類の模様が入った韓服を着ていました。各文様は一つひとつがそれぞれ独特の意味を持ち、一例として鶴は孤高で清楚なイメージを示し、吉祥を象徴しています。また虎や龍は、鶴とともに身分の尊さを表しています。

　現代の韓服は特別な日に着る礼服の機能を果たし、生活の利便性よりは美的な基準に重点を置くようになりました。これに伴い、色や模様が過去に比べて華やかで多様になり、素材や形もまた美しさを強調する方向に変化しています。

　ちなみに、韓服を指すときに日本人がよく使う「チマチョゴリ（치마저고리）」の「チマ」は巻きスカートを意味するので、「チマチョゴリ」は厳密には女性用の装いのみを指します。日本による併合以前の朝鮮では使われていた言葉ですが、独立後の韓国では植民地時代または北朝鮮を連想させるとして、否定的な感じを受ける韓国人もいるので注意が必要です。

第4章

日本の伝統と文化

伝統芸能と芸術
現代文化・風潮
スポーツ

日本の伝統芸能 　일본의 전통 예능

가부키

歌舞伎
(☞ 가부키 p.147)

하야시가타
囃子方

기다유
義太夫

시모테
下手

가미테
上手

세리
せり

마와리 부타이
回り舞台

하나미치
花道

슷폰 (특히 요괴나 망령 등의 역할이 등장할 때 사용된다)
すっぽん (特に妖怪や亡霊などの役どころが登場するときに使用される)

마쿠히키
幕引き

쓰케우치
ツケ打ち

다치야쿠
立役

온나가타
女形

구마도리
隈取

노

(☞노 p.151)

能

가면의 예시

面の一例

엔메카쟈
（신의 가면）

延命冠者（神を表す面）

고시조
（품위 있는 노인의 가면）

小牛尉（品のある老人を表す面）

한냐
（여성 원령의 가면）

般若（女性の怨霊を表す面）

고모테
（젊은 여성의 가면）

小面（若い女性を表す面）

노의 무대

能舞台

가가미노마
鏡の間

하시가카리
橋掛り

아게마쿠
場幕

산노마쓰
三の松

니노마쓰 二の松

이치노마쓰 一の松

시테바시라
シテ柱

와키쇼멘
脇正面

메쓰케바시라
目付柱

쇼멘
正面

대고
❶ 太鼓

큰 쓰즈미
❷ 大鼓

작은 쓰즈미
❸ 小鼓

와키바시라
ワキ柱

지우타이
地謡

피리
笛

시라스
白洲

143

분라쿠

文楽

(☞분라쿠 p.151)

오모즈카이
(왼손으로 인형의 표정을,
오른손으로 인형의 오른손
을 조종한다. 무대 게다라
는 큰 게다를 신고 있다)

主遣い
(左手で人形の表情を、右手
で人形の右手を操る。舞台下
駄という大きな下駄を履い
ている)

히다리즈카이
(인형의 왼손을 조종한다. 검은
옷을 걸치고 있다)

左遣い
(人形の左手を操る。
黒衣を纏っている)

아시즈카이
(인형 밑에 웅크리고 앉아 양손
으로 인형의 두 다리를 조종한다.
검은 옷을 걸치고 있다)

足遣い
(人形の下にうずくまり、
両手で人形の両足を操る。
黒衣を纏っている)

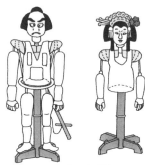

분라쿠의 인형

文楽の人形

일본의 악기

和楽器

고토
琴

샤쿠하치(피리)
尺八

쓰즈미(작은 북)
鼓

샤미센
三味線

144

相撲を知る

스모를 알아보자

(☞스모 p.171)

아카부사
(남동쪽에 걸려 있다. 여름을 나타낸다)
赤房（南東に掛けられる。夏を表す）

아오부사
(북동쪽에 걸려 있다. 봄을 나타낸다)
青房（北東に掛けられる。春を表す）

구로부사
(북서쪽에 걸려 있다. 겨울을 나타낸다)
黒房（北西に掛けられる。冬を表す）

시로부사
(남서쪽에 걸려 있다. 가을을 나타낸다)
白房（南西に掛けられる。秋を表す）

동쪽의 하나미치
東花道

요비다시
(선수를 부르는 사람)
呼出し（力士を呼び出す人）

소금
塩

서쪽의 하나미치
西花道

지카라미즈
力水

도효
土俵

심판장
審判長

시키리센
仕切り線

교지다마리
行司だまり

교지(심판)
行司

요코즈나
(스모 선수의 최고위)
横綱（力士の最高位）

세키토리
('10량' 이상의 선수)
関取（"十両"以上の力士）

마쿠시타
(순위표 2단에 쓰여지는 선수, '10량'의 한 단계 아래)
幕下（番付の2段目に書かれる力士。十両の一階級下）

교지(심판)
行司

伝統芸能と芸術

日本に来たら歌舞伎を見たい、という韓国の方もいらっしゃると思います。歌舞伎、文楽、能、狂言、そして日本古来の着物から茶道・華道の説明まで身につけることができます。

歌舞伎

☐ 歌舞伎は日本の舞台芸術です。

☐ 歌舞伎は江戸時代に発展した日本の舞台芸術です。

☐ 歌舞伎は江戸時代に発展した日本の舞台芸術で、日本の伝統的な演劇の中でも最も人気があります。

☐ 歌舞伎は江戸時代に発展した伝統演劇です。俳優や音楽家と上演されます。

☐ 歌舞伎はバックで演奏される音楽と合わせて演じられます。

☐ 歌舞伎はバックで演奏される音楽と合わせて演じられ、メインの楽器は三味線です。

☐ 歌舞伎では、三味線、笛、太鼓の演奏をする人たちが座り、ときには長唄と呼ばれる歌をうたうこともあります。

☐ 今日の歌舞伎は日本の伝統的な舞台芸術で、演劇、踊り、音楽を一体化したものです。

☐ 日本では、有名な歌舞伎役者は著名人で、しばしばテレビドラマなどにも出演します。

☐ 異国情緒あふれる歌舞伎は、外国人にも人気があります。

☐ 多くの外国人観光客は、歌舞伎役者の特徴のある化粧とパフォーマンスを楽しんでいます。

歌舞伎座

가부키

가부키는 일본의 무대 예술입니다.

가부키는 에도 시대에 발전한 일본의 무대 예술입니다.

가부키는 에도 시대에 발전한 일본의 무대 예술로, 일본의 전통 연극 중에서도 가장 인기가 있습니다.

가부키는 에도 시대에 발전한 전통 연극입니다. 배우와 음악가가 상연합니다.

가부키는 배경으로 연주되는 음악과 함께 연기합니다.

가부키는 배경으로 연주되는 음악과 함께 연기하며, 중심 악기는 샤미센입니다.

가부키에서는 샤미센, 피리, 북 연주를 하는 사람들이 앉아 때로는 나가우타라고 불리는 노래를 부르기도 합니다.

오늘날 가부키는 일본의 전통적인 무대 예술로 연극, 춤, 음악을 일체화한 것입니다.

일본에서는 유명한 가부키 배우가 저명인사로 종종 TV 드라마 등에도 출연합니다.

이국 정서가 넘치는 가부키는 외국인에게도 인기가 있습니다.

많은 외국인 관광객들은 가부키 배우의 특징이 있는 화장과 퍼포먼스를 즐기고 있습니다.

□ 異国情緒あふれる踊り、音楽、衣装そして特徴ある化粧など、歌舞伎は海外からの旅行者にも人気です。

□ 花道というのは、客席を通って舞台へと続く廊下のことです。

□ 三味線は伝統的な日本の弦楽器です。

□ 三味線は、日本の三弦リュートのようなものです。

□ 三味線は日本の伝統的な楽器で、弦を弾いて演奏します。

□ 三味線は日本の伝統的な弦楽器で、歌舞伎のほか、さまざまな伝統的行事などで使われます。

□ 歌舞伎の歴史は17世紀初期まで遡ることができます。

□ 歌舞伎は最初、京都で上演され、すぐに江戸に広がっていきました。

□ 歌舞伎のはじまった17世紀初期は、女性だけが踊るものでした。

□ 本来歌舞伎は女性が演じるものでしたが、幕府が、性的な挑発になるということで、女性が演じることを禁止しました。

□ 幕府が、女性が演じる歌舞伎を禁じると、男性が男役、女役の両方をやるようになりました。

□ 男性が女役をやる歌舞伎はユニークな舞台演劇です。

□ 歌舞伎では、女性を演じる男性俳優を女形といいます。

□ 江戸時代、歌舞伎は舞台芸術として発展しました。

□ 江戸時代、歌舞伎は舞台演劇として発展し、江戸の人にも大阪の人にも喜ばれていました。

□ 大阪や京都で演じられていた歌舞伎を上方歌舞伎といいます。

□ 歌舞伎で演じられる有名な演目の多くは、日本の古典をベースにしたものです。

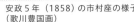

安政5年（1858）の市村座の様子
（歌川豊国画）

이국 정서가 넘치는 춤, 음악, 의상 그리고 특징 있는 화장 등 가부키는 해외
여행자들에게도 인기가 있습니다.

하나미치라는 것은 객석을 통해서 무대로 이어지는 복도를 말합니다.

샤미센은 전통적인 일본의 현악기입니다.

샤미센은 일본의 삼현 류트 같은 것입니다.

샤미센은 일본의 전통적인 악기로, 현을 튕겨서 연주합니다.

샤미센은 일본의 전통적인 현악기로, 가부키 외에 다양한 전통 행사 등에서 사용됩니다.

가부키의 역사는 17세기 초기까지 거슬러 올라갈 수 있습니다.

가부키는 처음 교토에서 상연되었고 곧 에도로 퍼져 나갔습니다.

가부키가 시작된 17세기 초기에는 여성들만이 춤 추는 것이었습니다.

원래 가부키는 여성이 연기하는 것이었지만, 막부가 성적 도발이 된다고 해서 여성이
연기하는 것을 금지했습니다.

막부가 여성이 연기하는 가부키를 금지하자 남성이 남성역, 여성역을 모두 하게
되었습니다.

남자가 여자 역할을 하는 가부키는 독특한 무대 연극입니다.

가부키에서는 여성을 연기하는 남성 배우를 온나가타라고 합니다.

에도 시대, 가부키는 무대 예술로서 발전했습니다.

에도 시대, 가부키는 무대 연극으로 발전하여 에도 사람들에게도 오사카 사람들에게도
환영을 받았습니다.

오사카나 교토에서 연기되던 가부키를 가미가타 가부키라고
합니다.

가부키에서 연기되는 유명한 공연의 대부분은 일본 고전을
바탕으로 한 것입니다.

写楽による役者絵

□ 江戸時代、歌舞伎のスターを宣伝するために、木版画が掲げられました。こうした木版画を浮世絵といいます。

□ 東京で歌舞伎が行われるのは、国立劇場か歌舞伎座です。

□ 国立劇場または歌舞伎座では、英語の翻訳付きで歌舞伎を楽しむことができます。

文楽

□ 文楽は日本の伝統的な人形劇です。

□ 文楽は人形浄瑠璃ともいいます。

□ 文楽は、17世紀の後半に竹本義太夫が大阪で劇場をはじめたことで、有名になりました。

□ 17世紀後半、近松門左衛門が竹本義太夫に物語を書いたことで、文楽は有名になりました。

□ 近松門左衛門は文楽のために物語を書く脚本家です。

□ 文楽は大阪ではじまり、歌舞伎にも大きな影響を与えました。

□ 文楽は歌舞伎の人形版のようなものです。

□ 文楽では、三味線の伴奏で物語が語られ、吟じられます。

□ 文楽で行われる語りを浄瑠璃といいます。

□ 浄瑠璃は文楽で行われる語りで、三味線の伴奏がつきます。

能

□ 能は日本の古典的な舞台演劇です。

□ 能は、日本の古典的な舞台演劇で、13 ～ 14世紀に発展しました。

□ 能は日本の舞台演劇の中でも最もよく知られているものの一つです。

에도 시대, 가부키 스타를 홍보하기 위해 목판화가 내걸렸습니다. 이런 목판화를 우키요에라고 합니다.

도쿄에서 가부키가 열리는 곳은 국립극장 또는 가부키자입니다.

국립극장 또는 가부키자에서는 영어 번역이 첨부되어 가부키를 즐길 수 있습니다.

분라쿠

분라쿠는 일본의 전통 인형극입니다.

분라쿠는 닌교조루리라고도 합니다.

분라쿠는 17세기 후반에 다케모토 기다유가 오사카에서 극장을 시작하면서 유명해졌습니다.

17세기 후반 지카마쓰 몬자에몬이 다케모토 기다유에게 이야기를 써주면서 분라쿠는 유명해졌습니다.

지카마쓰 몬자에몬은 분라쿠를 위해 이야기를 쓰는 각본가입니다.

분라쿠는 오사카에서 시작되어 가부키에도 큰 영향을 미쳤습니다.

분라쿠는 가부키의 인형판 같은 것입니다.

분라쿠에서는 샤미센 반주로 이야기를 말하기에 음미할 수 있습니다.

분락쿠에서 이루어지는 이야기를 조루리라고 합니다.

조루리는 분라쿠에서 이루어지는 이야기로, 샤미센 반주가 붙습니다.

노

노는 일본의 고전적인 무대 연극입니다.

노는 일본의 고전적인 무대 연극으로, 13~14세기에 발전했습니다.

노는 일본 무대 연극 중에서도 가장 잘 알려진 것 중의 하나입니다.

☐ 能は猿楽から発展した、中世の踊り、コメディ、舞台劇などが混ざったものです。

☐ 能は観阿弥という男性が創始し、14世紀に息子の世阿弥が確立したものです。

☐ 能は観阿弥と息子の世阿弥によって洗練された舞台芸術になりました。

☐ 能は、最小限のゆっくりとした動きで行われる舞台芸術です。

☐ 多くの人は能はそのミニマリズムゆえに、洗練されていると言います。

☐ 能の主役は仕手と呼ばれ、助け役を脇といいます。

☐ 能の舞台には、数人の役者しか上がらず、仕手と呼ばれる
　　1人の役者が演じ、謡い、踊ります。

☐ 能は男性の役者で演じられます。

☐ 能の役者は、面を着けて演じます。

☐ 能面は、能の役者が顔につけるマスクです。

☐ 能の役者は面をつけ、面の角度による光や影を利用して、
　　様々な顔の表情を作り出します。

☐ 能の世界では、役者がゆっくりとした最小限の動きをしながら、能面で表情を創り
　　出すことで、神秘的でかつ深淵な世界を描きます。

☐ 夢幻能とは、15世紀に世阿弥がつくりました。夢幻能では故人の霊が物語を語りま
　　す。

☐ 薪能は、薪の火で行う野外能のことです。

☐ 囃しとは、能舞台の伴奏のことです。もともとは、笛と3種の太鼓で伴奏しました。

☐ 鼓は昔の打楽器で、小さな鼓を肩にのせて演奏します。

☐ 大鼓は、通常の鼓より大きく、腕に抱えて演奏します。

노는 사루가쿠에서 발전한 중세의 춤, 코미디, 무대극 등이 섞인 것입니다.

노는 간아미라는 남성이 창시하여 14세기에 아들 제아미가 확립한 것입니다.

노는 간아미와 아들 제아미에 의해 세련된 무대 예술이 되었습니다.

노는 최소한의 느린 움직임으로 이루어지는 무대 예술입니다.

많은 사람들은 노는 그 미니멀리즘 때문에 세련되었다고 말합니다.

노의 주역은 시테라고 불리며, 도움을 주는 역할을 와키라고 합니다.

노의 무대에는 몇 명의 배우밖에 오르지 않고, 시테라고 불리는 한 명의 배우가 연기하고 노래하고 춤을 춥니다.

노는 남자 배우가 연기합니다.

노의 배우는 가면을 쓰고 연기합니다.

노멘은 노의 배우가 얼굴에 쓰는 마스크입니다.

노의 배우는 가면을 쓰고, 가면의 각도에 따른 빛이나 그림자를 이용하여 다양한 얼굴 표정을 만들어냅니다.

노의 세계에서는 배우가 느릿느릿 최소한의 움직임을 하면서 노멘에서 표정을 창조함으로써 신비롭고 심연한 세계를 그립니다.

무겐노란 15세기에 제아미가 만들었습니다. 무겐노에서는 고인의 영혼이 이야기를 합니다.

다키기노는 장작불의 주위에서 행하는 야외의 노를 말합니다.

하야시는 노 무대의 반주를 말합니다. 원래는 피리와 3종의 북으로 반주를 했습니다.

쓰즈미는 옛날 타악기로 작은 북을 어깨에 얹고 연주합니다.

대고는 일반 북보다 크고 팔에 끼고 연주합니다.

☐ 太鼓は日本式のドラムのことで、小さい太鼓が能では使われます。

☐ 謡は、能で演奏される詞やふしをつけた歌のことです。もともとは8人で歌っていました。

狂言

☐ 狂言は能役者の間で演じられる滑稽劇です。

☐ ときには狂言が独立して演じられることもありました。この場合は、本狂言と呼ばれました。

☐ 狂言は能と源流は同じです。

☐ 能と違って、ほとんどの狂言は面を着けることはありません。

☐ 狂言の主役はシテと呼ばれ、脇役をアドといいます。

☐ 狂言は日常生活のよくある話がベースで、役者も口語で話します。

着物

☐ 着物は日本の伝統的な衣装です。

☐ 着物は日本の伝統的な衣装で、男性、女性ともに着ます。

☐ 女性が着る着物は色鮮やかです。

☐ 着物は、洋服と区別して和服と呼ばれます。

☐ 着物は衣服というだけでなく、素晴らしい芸術でもあります。

☐ 着物は一般的には高いものです。

☐ 色鮮やかで、一流の染め技術が施された着物は、とても高価です。

☐ 着物を寝間着と思っている人もいますが、それは間違いです。

북은 일본식 드럼을 말하며, 작은 북이 노에서 사용됩니다.

우타이는 노에서 연주되는 가사나 후시를 붙인 노래를 말합니다. 원래는 8명이 불렀습니다.

교겐

교겐은 노의 배우들 사이에서 연기되는 익살극입니다.

때로는 교겐을 독립적으로 연기하기도 합니다. 이 경우는 혼교겐이라고 불렸습니다.

교겐은 노와 원류가 같습니다.

노와 달리 대부분의 교겐은 가면을 쓰지 않습니다.

狂言の舞台

교겐의 주역은 시테라고 불리며, 와키를 아도라고 합니다.

교겐은 일상생활의 흔한 이야기를 바탕으로 배우도 구어체로 말합니다.

기모노

기모노는 일본의 전통 의상입니다.

기모노는 일본의 전통 의상으로 남성, 여성 모두 입습니다.

여성이 입는 기모노는 색이 선명합니다.

기모노는 서양옷과 구별해서 와후쿠라고 불립니다.

기모노는 의복일 뿐만 아니라 훌륭한 예술이기도 합니다.

기모노는 일반적으로 비싼 것입니다.

색이 선명하고 일류 염색 기술이 적용된 기모노는 매우 비쌉니다.

기모노를 잠옷이라고 생각하는 사람도 있지만, 그것은 잘못된 것입니다.

- [ ] 外国人用に、寝間着として着物もどきのものを販売する土産物屋も多いです。

- [ ] 着物用の織物をつくるには、熟練した職人技が必要です。

- [ ] 着物を仕立てるには、先代から受け継がれる熟練の技が必要です。

- [ ] 京都や金沢でつくられる高級な着物の中に、友禅と呼ばれるものがあります。

- [ ] 友禅は高級な着物で、京都や金沢でつくられます。

- [ ] 友禅（染め）は、1年がかりで布に絵付けや染めを施します。

- [ ] 着物を着るときは、腰のところに帯を巻いて、背中で結びます。

- [ ] 帯を結ぶのは、なかなか大変で技術が必要です。

- [ ] 帯を結ぶのは、技術が必要で、自分でやるのはかなり大変です。

- [ ] 帯を自分で結ぶのはかなり大変で、着物を着る人はたいてい誰かに助けてもらいます。

- [ ] 振り袖は、未婚女性が着る袖の長い着物のことです。

- [ ] 未婚女性は、色鮮やかで、袖の長い振り袖を着ます。

- [ ] 既婚女性は、袖が短い留袖という着物を着ます。

- [ ] 既婚女性は、落ち着いた色の袖の短い留袖という着物を着ます。

- [ ] 浴衣は着物の一種で、夏の夜に着ます。

- [ ] 浴衣は元々は夜に着る室内着でしたが、外を散歩するときなどにも着られるようになりました。

- [ ] 最近では、花火やお祭りでも浴衣を着る人がいます。

외국인용으로 잠옷으로서 기모노 같은 것을 판매하는 기념품 가게도 많습니다.

기모노용 직물을 만들려면 숙련된 장인의 기술이 필요합니다.

기모노를 만들기 위해서는 선대부터 내려오는 숙련된 기술이 필요합니다.

교토나 가나자와에서 만들어지는 고급 기모노 중에 유젠이라고 불리는 것이 있습니다.

유젠은 고급 기모노로 교토나 가나자와에서 만들어집니다.

유젠은 1년에 걸쳐 천에 그림을 그리거나 염색을 합니다.

기모노를 입을 때는 허리 부분에 오비를 두르고 등 쪽으로 묶습니다.

오비를 매는 것은 상당히 힘들고 기술이 필요합니다.

오비를 묶는 것은 기술이 필요하고, 스스로 하는 것은 상당히 힘듭니다.

오비를 스스로 묶는 것은 상당히 힘들고, 기모노를 입는 사람은 대개 누군가의 도움을 받습니다.

후리소데는 미혼 여성이 입는 소매가 긴 기모노를 말합니다.

미혼 여성은 색이 선명하고 소매가 긴 후리소데를 입습니다.

기혼 여성은 소매가 짧은 도메소데라는 기모노를 입습니다.

기혼 여성은 차분한 색의 소매가 짧은 도메소데라는 기모노를 입습니다.

유카타는 기모노의 일종으로 여름밤에 입습니다.

유카타는 원래 밤에 입는 실내복이었지만, 밖을 산책할 때 등에도 입을 수 있게 되었습니다.

최근에는 불꽃놀이나 축제에서도 유카타를 입는 사람이 있습니다.

□ 日本の伝統的な宿である旅館では、浴衣を借りて温泉に行くことができます。

□ 浴衣はふだん着なので、インターナショナルなホテルのロビーに浴衣で出るのは、ふさわしくありません。

□ 日本人は日常生活では洋服を着ていますが、結婚式、葬儀、卒業式など特別な場合に着物を着ます。

茶道

□ 茶道は伝統的な儀式で、そこでは茶を点てて楽しみます。

□ 茶道は何世紀にもわたる歴史があり、そこには哲学的な概念が潜んでいます。

□ 茶道では、粉末にした抹茶が用いられます。

□ 普通の茶葉からつくられる緑茶に比べ、抹茶は濃厚な味がします。

□ 茶道は禅とともに発展し、16世紀後半に千利休という人によって確立されました。

□ 茶道が16世紀に確立されると、人々は洗練されたしきたりで振るまわれる一杯のお茶による会話に心をなごませました。

□ 茶道は単に茶のことだけではありません。茶道は繊細で美しい雰囲気を作り出すために行なわれるものなのです。

□ 茶道では、茶を振るまう茶碗を愛でることも重要なことです。

□ 茶室と呼ばれる茶を点てる部屋には、生け花、また洗練された雰囲気を醸し出すために掛け軸が掛けられています。

□ 茶道は大切な客をもてなすために、洗練された雰囲気を作り出すための芸術です。

高台寺の遺芳庵

□ 礼儀に適った茶道の所作は複雑です。歩き方、手の動かし方、座り方などに及びます。

□ 儀式としての茶道については、日本人でも少しの人しか知りません。大切なのは、リラックスしてその雰囲気や伝統を楽しむことです。

일본의 전통적인 숙소인 료칸에서는 유카타를 빌려 온천에 갈 수 있습니다.

유카타는 평상복이기 때문에 인터내셔널한 호텔 로비에 유카타를 입고 나오는 것은 적합하지 않습니다.

일본인들은 일상생활에서 서양옷을 입지만 결혼식, 장례식, 졸업식 등 특별한 경우에 기모노를 입습니다.

다도

다도는 전통적인 의식으로, 거기에서는 차를 달여 즐깁니다.

다도는 수세기에 걸친 역사가 있고, 거기에는 철학적인 개념이 숨어 있습니다.

다도에서는 분말로 만든 말차가 이용됩니다.

일반 찻잎으로 만들어지는 녹차에 비해 말차는 진한 맛이 납니다.

다도는 선과 함께 발전하여 16세기 후반에 센노리큐라는 사람에 의해 확립되었습니다.

다도가 16세기에 확립되자, 사람들은 세련된 관례에 따라 움직이는 한 잔의 다도에 의한 대화에 마음을 녹였습니다.

다도는 단순히 차에 관한 것만이 아닙니다. 다도는 섬세하고 아름다운 분위기를 만들기 위해 행해지는 것입니다.

다도에서는 차를 담아내는 찻잔을 사랑하는 것도 중요한 일입니다.

다실이라고 불리는 차를 끓이는 방에는 이케바나, 그리고 세련된 분위기를 내기 위해 족자가 걸려 있습니다.

다도는 소중한 손님을 접대하기 위해 세련된 분위기를 만들기 위한 예술입니다.

예의에 맞는 다도의 몸짓은 복잡합니다. 걸음걸이, 손놀림, 앉는 법 등에 이릅니다.

의식으로서의 다도에 대해서는 일본인도 조금밖에 모릅니다. 중요한 것은 편안하게 그 분위기와 전통을 즐기는 것입니다.

生け花

- [ ] 生け花は日本の伝統的なフラワーアレンジメントのことです。

- [ ] 生け花のことを華道ともいい、この伝統的な日本のフラワーアレンジメントは、室町時代に発展しました。

- [ ] 明治時代以降、生け花のコンセプトは、西洋のフラワーアレンジメントにも影響を与えました。

- [ ] 生け花が空間の芸術と言われるのは、空間と花のラインを組み合わせるものだからです。

- [ ] 池坊は、日本最大の華道の流派です。

- [ ] 池坊専慶は僧で、室町時代に池坊流の華道の基礎をつくりました。

短歌・俳句

- [ ] 短歌は日本の伝統的な詩で、5－7－5－7－7の五句体です。

- [ ] 最初の3句を上の句、あとの2句を下の句といいます。

- [ ] 短歌は古代よりつくられています。

- [ ] 昔は感情や思いを伝えるために短歌を交換しました。

- [ ] 辞世とは、死ぬ前につくられる短歌のことです。

- [ ] 俳句は、短歌の上の句から生まれました。俳句は5－7－5の3句からなります。

- [ ] 俳句は海外にも紹介され、世界中で楽しまれています。

- [ ] 川柳は風刺や皮肉を盛り込んだ詩で、俳句と同じ形式です。江戸時代に流行しました。

- [ ] 狂歌は風刺や皮肉を盛り込んだ詩で、短歌と同じ形式です。江戸時代に流行しました。

이케바나

이케바나는 일본의 전통적인 꽃꽂이를 말합니다.

이케바나를 화도라고도 하며, 이 전통적인 일본의 꽃꽂이는 무로마치 시대에
발전했습니다.

메이지 시대 이후 이케바나 컨셉트는 서양의 플라워
어레인지먼트에도 영향을 주었습니다.

이케바나가 공간의 예술이라고 불리는 것은 공간과 꽃의
라인을 조합하는 것이기 때문입니다.

이케노보는 일본 최대의 화도 유파입니다.

이케노보 센케이는 승려로 무로마치 시대에 이케노보류
화도의 기초를 닦았습니다.

단카 · 하이쿠

단카는 일본의 전통적인 시로 5-7-5-7-7의 오구체입니다.

처음 세 구를 윗구, 뒤의 두 구를 아랫구라고 합니다.

단카는 고대부터 만들어졌습니다.

옛날에는 감정이나 생각을 전하기 위해 단카를 교환했습니다.

지세이란 죽기 전에 만들어지는 단카를 말합니다.

하이쿠는 단카의 윗구에서 태어났습니다. 하이쿠는 5-7-5의 세 구로 이루어져 있습니다.

하이쿠는 해외에도 소개되어 전 세계에서 즐기고 있습니다.

센류는 풍자나 비아냥거림을 담은 시로 하이쿠와 같은 형식입니다. 에도 시대에
유행했습니다.

교카는 풍자나 비아냥거림을 담은 시로 단카와 같은 형식입니다. 에도 시대에
유행했습니다.

現代文化・風潮

伝統の日本だけでなく、今の日本を紹介します。マンガ・アニメ、オタク文化から、コスプレまで、新しい日本の情報を韓国語で話してみましょう。

マンガ・アニメ

☐ 日本のグラフィック小説、コミックのことをマンガといいます。

☐ マンガは、日本のポップカルチャーの中でも最もよく知られています。

☐ 今ではマンガという言葉は、世界中で知られています。

☐ 元々マンガは子供向けに描かれていました。

☐ 50年代、60年代にはマンガ家が素晴らしい話を作り出し、マンガ雑誌を出版する出版社にとっては稼ぎ頭となりました。

☐ マンガはずっと長いこと人気があったので、あらゆる世代の日本の人々に読まれ、楽しまれています。

☐ 出版社は、マンガを取り入れたハウツー本、ノンフィクション本、さらには若者・大人向けに教育的な本を出版することもあります。

☐ 自然の話からセックス・暴力まで、歴史物語からSFまで、様々なジャンルのマンガが日本では楽しまれています。

☐ マンガは日本人の間で広く受け入れられています。というのも一般的に日本人はテキストだけより、ビジュアルがある方が好きだからです。

☐ マンガだけでなくアニメも同様、ビジュアルはコンピューターで制作され、この形式は日本から世界へと広がっていきました。

만화 · 애니메이션

일본의 그래픽 소설, 코믹을 망가라고 합니다.

망가는 일본 대중문화 중에서도 가장 잘 알려져 있습니다.

이제 망가라는 단어는 전 세계적으로 알려져 있습니다.

원래 만화는 어린이용으로 그려졌습니다.

50년대, 60년대에는 만화가 멋진 이야기를 만들어 냈고, 만화 잡지를 출판하는
출판사에게는 돈벌이가 되었습니다.

만화는 아주 오랫동안 인기가 있었기 때문에 모든 세대의 일본 사람들이 읽고 즐기고
있습니다.

출판사는 만화를 도입한 실용서, 논픽션 책, 심지어 젊은이·성인을 위한 교육적인 책을
출판하기도 합니다.

자연의 이야기에서 섹스·폭력까지, 역사 이야기에서 SF까지, 다양한 장르의 만화를
일본에서 즐기고 있습니다.

만화는 일본인들 사이에서 널리 받아들여지고 있습니다. 왜냐하면 일반적으로 일본인은
텍스트만 있는 것보다 비주얼이 있는 것을 좋아하기 때문입니다.

만화뿐만 아니라 애니메이션도 마찬가지로, 비주얼은 컴퓨터로 제작되어 이 형식은
일본에서 세계로 퍼져 나갔습니다.

オタク文化

- [ ] オタク文化は、アニメ、マンガといった日本のポップカルチャーや若者のライフスタイルの象徴です。

- [ ] オタク文化は、コンピューターゲームやアニメ、ネットでやりとりをするのを好む若い世代が創り出し、支持しています。

- [ ] オタクという言葉は、コンピューターを使うのが得意な若者たちが、使い始めました。

- [ ] コンピューター世代の若者は、実生活で人と対するより、コンピューターの前に座っていることを好みます。そういう人をオタクと言います。

- [ ] 面と向かってのコミュニケーションが不得意な若者が、互いを呼ぶときに、"オタク"という言葉を使い始めました。

- [ ] オタク文化とあわせ、かわいいという日本語の表現も海外に紹介されています。

- [ ] かわいいは、韓国語で「귀여워」といいます。

- [ ] 多くの日本人は、何か愛らしいものを表現するのに"かわいい"と言います。

- [ ] 原宿や秋葉原は、東京都内のオタク文化の中心地です。

- [ ] 秋葉原には、オタク文化の象徴的な品やコスチュームを売る店がたくさんあります。

コスプレ

- [ ] 今ではコスプレは世界中で認知されています。コスチュームとプレイの造語です。

- [ ] 今のコスプレは、1990年代に東京の原宿辺りで始まりました。

- [ ] コスプレとは、アニメ、ゲーム、マンガなどのキャラクターを真似て、コスチュームを着て、化粧をしたりすることです。

- [ ] 日本のアニメ、マンガ、コンピューターゲームが世界中の若者に人気があるため、メイドインジャパンのコスプレも多くの国に広まっています。

- [ ] 東京の秋葉原は、オタク、コスプレ文化のもうひとつの中心です。

오타쿠 문화

오타쿠 문화는 애니메이션, 만화와 같은 일본의 대중문화와 젊은이들의 라이프 스타일의 상징입니다.

오타쿠 문화는 컴퓨터 게임이나 애니메이션, 인터넷으로 주고받는 것을 좋아하는 젊은 세대가 창출하고 지지하고 있습니다.

오타쿠라는 말은 컴퓨터를 잘 쓰는 젊은이들이 사용하기 시작했습니다.

컴퓨터 세대의 젊은이들은 실생활에서 사람을 대하는 것보다 컴퓨터 앞에 앉아 있는 것을 선호합니다. 그런 사람을 오타쿠라고 합니다.

얼굴을 맞댄 의사소통이 서툰 젊은이가 서로를 부를 때 오타쿠라는 말을 사용하기 시작했습니다.

오타쿠 문화와 더불어 <가와이>라는 일본어 표현도 해외에 소개되고 있습니다.

가와이는 한국어로 <귀여워>라고 합니다.

많은 일본인들은 무언가 사랑스러운 것을 표현할 때 <가와이>라고 말합니다.

하라주쿠와 아키하바라는 도쿄 시내 오타쿠 문화의 중심지입니다.

아키하바라에는 오타쿠 문화의 상징적인 물건이나 코스튬을 파는 가게가 많이 있습니다.

코스프레

이제 코스프레는 전 세계적으로 알려져 있습니다. 코스튬과 플레이의 조어입니다.

지금의 코스프레는 1990년대에 도쿄의 하라주쿠 근처에서 시작되었습니다.

코스프레란 애니메이션, 게임, 만화 등의 캐릭터를 본떠 코스튬을 입고 화장을 하는 것입니다.

일본 애니메이션, 만화, 컴퓨터 게임이 전 세계 젊은이들에게 인기가 있기 때문에 메이드 인 재팬의 코스프레도 많은 나라로 확산되고 있습니다.

도쿄의 아키하바라는 오타쿠, 코스프레 문화의 또 다른 중심입니다.

☐ メイドカフェとは、秋葉原にあるカフェで、かわいいメイドのコスチュームを着た少女が、コーヒーや飲み物を出してくれます。

歌謡曲・演歌

☐ 第二次世界大戦後、多くのポップミュージックが日本に紹介され、日本にある昔からの音楽と結びつきました。

☐ Ｊポップは、ジャパニーズ・ポップ・ミュージックの略で、日本だけでなく、多くのアジアの国々でも売られています。

☐ Ｊポップを通して、日本の最新のポップミュージックの詩やリズムが楽しまれています。

☐ 演歌は、大衆音楽のジャンルのひとつで、日本古来の民謡の影響があります。

☐ 演歌で歌われるのは、愛、情念、日本の心などです。

☐ Ｋポップと言われる韓国のポップミュージックも、日本人の間で人気があります。

コンビニ文化

☐ コンビニは、英語の"コンビニエンスストアconvenience store"の略称です。「便利な店」という意味です。

☐ コンビニなしには、日本の都会での生活は成り立ちません。

☐ 地元の小売店は、今ではスーパーマーケットやコンビニに取って変わられています。

☐ 全国に4万以上のコンビニがあり、東京では1平方キロ内に8.3店あります。

☐ コンビニで、公共料金を払ったり、オンラインで注文した本を受け取ったり、荷物を送ったりすることができます。

☐ もし出張で下着や靴下が足りなくなったら、コンビニに行って買うことができます。

메이드 카페는 아키하바라에 있는 카페로 귀여운 메이드 코스튬을 입은 소녀가 커피와 음료를 내줍니다.

가요 · 엔카

제2차 세계대전 후 많은 팝 음악이 일본에 소개되어 일본의 옛 음악과 결합되었습니다.

J팝은 재패니즈 팝 음악의 약자로 일본뿐만 아니라 많은 아시아 국가에서도 판매되고 있습니다.

J팝을 통해 일본 최신 팝 음악의 가사나 리듬을 즐길 수 있습니다.

엔카는 대중음악 장르 중 하나로 일본 전통 민요의 영향이 있습니다.

엔카로 불리는 가사는 사랑, 정념, 일본의 마음 등입니다.

K팝이라고 불리는 한국 팝 음악도 일본인들 사이에서 인기가 있습니다.

편의점 문화

콤비니(편의점)는 영어 convenience store의 약칭입니다. 편리한 가게라는 뜻입니다.

편의점 없이는 일본 도시에서의 생활이 이루어질 수 없습니다.

지역 소매점은 지금은 슈퍼마켓이나 편의점으로 대체되고 있습니다.

전국에 4만 개 이상의 편의점이 있고, 도쿄에서는 1평방킬로미터 내에 8.3개가 있습니다.

편의점에서 공과금을 내거나 온라인으로 주문한 책을 받거나 택배를 보낼 수 있습니다.

만약 출장으로 속옷이나 양말이 부족해지면 편의점에 가서 살 수 있습니다.

携帯文化

☐ 最近では、雑誌や新聞に代わり、オンラインによる携帯コンテンツが、日本人の多くに支持されています。

☐ 携帯とオンラインサイトは、日本人に新たなライフスタイルと文化を提供しました。

☐ 絵文字は、携帯でメッセージを送るときに使います。

☐ 残念ながら、携帯のオンラインサイトを通して、犯罪の情報が流れることもあります。そうしたサイトを、闇サイトと呼びます。

☐ 犯罪から子供を守るために、携帯にはGPS機能が付いています。

휴대폰 문화

최근에는 잡지나 신문을 대신하여 온라인에 의한 휴대폰 콘텐츠가 일본인의 많은 지지를 받고 있습니다.

휴대폰과 온라인 사이트는 일본인에게 새로운 라이프 스타일과 문화를 제공했습니다.

이모티콘은 휴대폰으로 메시지를 보낼 때 사용합니다.

안타깝게도 휴대폰 온라인 사이트를 통해 범죄 정보가 흘러 나오기도 합니다. 그런 사이트를 야미 사이트라고 부릅니다.

범죄로부터 어린이를 보호하기 위해 휴대폰에는 GPS 기능이 달려 있습니다.

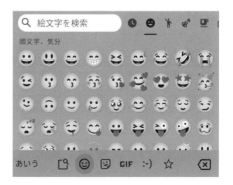

スポーツ

古来より行われてきた伝統ある相撲から、柔道、空手、剣道、合気道まで日本の武道を紹介します。

相撲

☐ 相撲とは、日本の伝統的なレスリングのことです。

☐ 相撲の起源は、古代まで遡ることができます。

☐ 相撲は神々を崇拝するための特別な取組として発展しました。

☐ 歴史的に、相撲は神道と深い関係があります。

☐ 相撲の取組は、神々への感謝を表すために行われました。

☐ 土俵は力士が相撲を取る特別なリングのことです。

☐ 相撲取りは、土俵と呼ばれる特別なリングで取り組みをします。

☐ 相撲取りは、神聖な場所とされる土俵というリングで取り組みを行います。

☐ 今では職業としての相撲の興行は、日本相撲協会がまとめています。

☐ 今では相撲の興行は、日本相撲協会がまとめており、2ヵ月ごとに行われます。

☐ 公式な相撲の取組は2ヵ月ごと、15日間にわたって行われます。

☐ 公式な相撲の取組では、最も多くの取り組みに勝った力士が、優勝となります。

☐ 相撲の番付の最上位は横綱です。

☐ 相撲の番付の上から2番目は、大関です。

1860 年代、歌川国貞による相撲絵

스모

스모란 일본의 전통적인 레슬링을 말합니다.

스모의 기원은 고대까지 거슬러 올라갈 수 있습니다.

스모는 신들을 숭배하기 위한 특별한 대결로 발전했습니다.

역사적으로 스모는 신도와 깊은 관계가 있습니다.

스모의 대결은 신들에 대한 감사를 표하기 위해 행해졌습니다.

도효는 스모 선수가 스모를 하는 특별한 링입니다.

스모 선수는 도효라고 불리는 특별한 링에서 대결합니다.

스모 선수는 신성한 장소로 여겨지는 도효라는 링에서 대결을 실시합니다.

지금 직업으로서의 스모의 흥행은 일본스모협회가 담당하고 있습니다.

지금 스모의 흥행은 일본스모협회가 담당하고 있으며, 2개월마다 이루어집니다.

공식적인 스모 대회는 2개월마다 15일간 진행됩니다.

공식적인 스모 대결에서는 가장 많은 승부에서 이긴 스모 선수가 우승입니다.

스모의 순위를 정하는 최상위는 요코즈나입니다.

스모 순위의 위에서 두 번째는 오제키입니다.

☐ 相撲では、力士の成績によってランク付けされており、最上位は横綱です。

☐ スポーツとしての相撲は、多くの伝統を保っています。

☐ 相撲取りの髪型は、封建時代の流儀のままに結われています。

☐ 相撲を取る際、力士たちはほぼ裸同然です。

☐ 力士は、どこにも武器を隠していないことを証明するために、ほぼ裸同然で相撲を取ります。

☐ 相撲を取る力士は、まわしのみを身に着けます。

☐ 相撲を取るとき力士は、まわしと呼ばれるふんどしのようなものしか身に着けていません。

☐ 取り組みの前、力士は多くの儀式に従わなければなりません。

☐ 古代まで遡れる相撲の儀式に、外国人は引きつけられます。

☐ 人々は、ほかでは見られない儀式や、激しい取組に魅了されます。

☐ 相撲はスポーツとしてだけでなく、美的に優れた伝統としても楽しまれています。

☐ 土俵に上がる前は、力士は口をすすぎます。

☐ 土俵の上で、力士は塩を投げ、邪悪なものを取り払います。

☐ 土俵上で、力士は四股を踏みますが、これは病気や不幸などの悪い気を地下に押し込めるためです。

☐ 土俵上で、力士はしゃがんで、神への挨拶としてパンと両手をたたきます。

☐ 毎朝、朝食前に力士は、部屋の土俵で厳しい練習を行います。

☐ 相撲で、部屋の主は親方と呼ばれています。

스모에서는 스모 선수의 성적에 따라 순위가 매겨지며 최상위는 요코즈나입니다.

스포츠로서의 스모는 많은 전통을 유지하고 있습니다.

스모 선수의 머리 모양은 봉건 시대 방식대로 묶여 있습니다.

스모를 할 때 선수들은 거의 벌거벗은 것이나 다름없습니다.

스모 선수는 어디에도 무기를 숨기지 않았다는 것을 증명하기 위해 거의 나체나 다름없이 스모를 합니다.

스모를 하는 선수는 마와시만을 몸에 걸칩니다.

스모를 할 때 스모 선수는 마와시라고 불리는 훈도시 같은 것밖에 입고 있지 않습니다.

대결하기 전에 스모 선수는 많은 의식을 따라야 합니다.

고대까지 거슬러 올라가는 스모 의식에 외국인은 끌립니다.

사람들은 다른 곳에서는 볼 수 없는 의식이나 격렬한 대결에 매료됩니다.

스모는 스포츠뿐만 아니라 미적으로 뛰어난 전통으로도 즐기고 있습니다.

도효에 오르기 전에 스모 선수는 입을 헹굽니다.

도효 위에서 스모 선수는 소금을 뿌리며 사악한 것을 제거합니다.

도효 위에서 스모 선수는 다리를 벌려 땅을 치는데, 이것은 질병이나 불행 등의 나쁜 기운을 지하로 밀어 넣기 위해서입니다.

도효 위에서 스모 선수는 쭈그리고 앉아 신에게 인사하기 위해 펑 하고 손뼉을 칩니다.

매일 아침 조식 전에 스모 선수는 스모베아의 도효에서 혹독한 연습을 합니다.

스모에서 스모베아의 주인은 오야가타라고 불립니다.

☐ 国技館は相撲の本拠地で、東京の両国にあります。

☐ 東京の両国近辺には50ほどの相撲部屋があります。

☐ 相撲は伝統的なスポーツですが、近年は多くの外国人力士が競技に参加しています。

☐ モンゴルやヨーロッパからも多くの力士が日本にやって来て、相撲をとっています。

野球

☐ 野球は日本ではとても人気のあるスポーツです。

☐ 野球は、サッカーや相撲と並び、日本で最も人気のあるスポーツの一つです。

☐ 地元の野球チームに多くの子供たちが入っています。

☐ 1年に2度、春と夏には大阪近くの甲子園で、全国高等学校野球選手権大会が行われます。

☐ 全国高校野球大会では、地域で優勝したチームの熱烈な応援団が、甲子園球場でお祭りのような雰囲気を作り出します。

☐ 甲子園に出場し、才能が見いだされた生徒は、早い段階からプロ野球への道が開かれます。

☐ 野球が日本に紹介されたのは1872年のことです。

☐ 野球は1872年に日本に紹介され、1920年にはプロ野球リーグが発足しました。

☐ 日本にはプロ野球の球団が12あります。

☐ 現在日本にはセ・リーグとパ・リーグの2つのリーグがあります。

☐ 近頃は、多くのトップ選手が、アメリカのメジャーリーグにスカウトされます。

국기관은 스모의 본거지로 도쿄의 료고쿠에 있습니다.

도쿄의 료고쿠 부근에는 50개 정도의 스모베아가 있습니다.

스모는 전통적인 스포츠이지만, 최근에는 많은 외국인 스모 선수가 경기에 참가하고 있습니다.

몽골과 유럽에서도 많은 스모 선수들이 일본에 와서 스모를 하고 있습니다.

야구

야구는 일본에서는 매우 인기 있는 스포츠입니다.

야구는 축구나 스모와 함께 일본에서 가장 인기 있는 스포츠 중의 하나입니다.

지역 야구팀에 많은 어린이들이 들어와 있습니다.

1년에 두 번, 봄과 여름에는 오사카 근처 고시엔에서 전국 고등학교 야구 선수권 대회가 열립니다.

전국 고교 야구 대회에서는 지역에서 우승한 팀의 열렬한 응원단이 고시엔 구장에서 축제 같은 분위기를 만들어 냅니다.

고시엔에 출전하여 재능이 발견된 학생은 이른 단계부터 프로야구의 길이 열립니다.

야구가 일본에 소개된 것은 1872년입니다.

야구는 1872년에 일본에 소개되었고, 1920년에는 프로야구 리그가 출범했습니다.

일본에는 프로야구 구단이 12개 있습니다.

현재 일본에는 센트럴리그와 퍼시픽리그 두 개의 리그가 있습니다.

요즘은 많은 정상급 선수들이 미국 메이저리그에 스카우트됩니다.

サッカー

□ 野球と同じように、日本ではサッカーもさかんです。

□ アジアでは、日本の強敵は韓国です。

□ 2002年のワールドカップは日本と韓国の共催でした。

□ Jリーグは日本のプロサッカーリーグで、2022年には58チームが競い合っていました。

□ 野球と同じで、多くの日本人サッカー選手も、日本以外の国でプレーしています。

柔道

□ 柔道は1882年に嘉納治五郎が創始した武道です。

□ 柔道は世界中に広まり、オリンピック競技になっています。

□ 柔道は日本の武道で、国を超え広がっています。

□ 柔道は、古くは柔術と呼ばれた武道から派生したものです。

□ 柔道の技は、投技、固技、当身技があります。

□ 柔道の礼は、相手への敬意です。そのため対戦の前と後には互いにお辞儀をします。

□ 柔道の技は、攻撃をしかけずに相手の力を利用して、勝つことです。柔は剛を制すと言われています。

空手

□ 空手は沖縄発祥の武道です。

□ 空手はカンフーとは違います。沖縄生まれの武道で、古い中国の武道を取り入れたものです。

□ 空手は素手で敵を倒す武道です。

축구

야구와 마찬가지로 일본에서는 축구도 좋아합니다.

아시아에서 일본의 강적은 한국입니다.

2002년 월드컵은 일본과 한국의 공동 개최였습니다.

J리그는 일본 프로축구 리그로, 2022년에는 58팀이 경쟁하고 있습니다.

야구와 마찬가지로 많은 일본인 축구 선수들도 일본 이외의 나라에서 뛰고 있습니다.

유도

유도는 1882년에 가노 지고로가 창시한 무도입니다.

유도는 전 세계로 퍼져 나가 올림픽 경기가 되었습니다.

유도는 일본의 무도에서 국가를 넘어 확산되고 있습니다.

유도는 옛날에는 주짓수라고 불리던 무도에서 파생된 것입니다.

유도 기술은 메치기, 굳히기, 손·발 기술이 있습니다.

유도의 예는 상대방에 대한 경의입니다. 그래서 대전의 전과 후에는 서로 절을 합니다.

유도 기술은 공격을 가하지 않고 상대의 힘을 이용하여 이기는 것입니다. 부드러움은 강함을 제압한다고 합니다.

가라테

가라테는 오키나와에서 발상한 무도입니다.

가라테는 쿵푸와는 다릅니다. 오키나와에서 기원한 무도로 오래된 중국 무도를 도입한 것입니다.

가라테는 맨손으로 적을 쓰러뜨리는 무도입니다.

□ 空手は自分の体を鍛え、それを武器とする武道です。

□ 空手は腕、手、足、頭を武器のように使う武道です。

□ 空手は防御のためのもので、攻撃されたときだけ戦います。

□ 空手の最もユニークなところは、そのスピードにあります。

□ 空手の最もユニークなところは、そのスピードにあります。空手家は、瞬時に全パワーを集中させ、防御から攻撃へと変化します。

□ 柔道のように、今では空手も世界に広まっています。

□ 空手では、師は弟子に対戦のパターンとして多くの型を学ばせます。

合気道

□ 合気道は日本の武道のひとつで、空手同様、素手を使う防御のための武道です。

□ 合気道は日本の武道で、柔道のもとである柔術から発祥しました。

□ 合気道が不思議な武道と言われるのは、名人は相手の力を瞬時に、大した動きもなく、奪うことができるからです。

□ 合気道は、相手の力を使って倒します。

□ 合気道は、瞬く間に相手の力を使って倒します。

□ 合気道は、反撃がうまくいくと、瞬時に相手を動けなくします。

가라테는 자신의 몸을 단련하고 그것을 무기로 하는 무도입니다.

가라테는 팔, 손, 발, 머리를 무기처럼 사용하는 무도입니다.

가라테는 방어를 위한 것으로, 공격을 받았을 때만 싸웁니다.

가라테의 가장 독특한 점은 속도에 있습니다.

가라테의 가장 독특한 점은 속도에 있습니다. 가라테 선수는 순식간에 모든 파워를 집중시켜 방어에서 공격으로 변화합니다.

유도처럼 지금은 가라테도 세계에 퍼져 있습니다.

가라테에서 스승은 제자에게 대전의 패턴으로 많은 품세를 배우게 합니다.

합기도

합기도는 일본의 무도 중 하나로 가라테와 마찬가지로 맨손을 사용하는 방어를 위한 무도입니다.

합기도는 일본의 무도로 유도의 근원인 주짓수에서 발상했습니다.

합기도가 신기한 무도라고 불리는 것은, 고수는 상대의 힘을 순식간에, 큰 움직임 없이 빼앗을 수 있기 때문입니다.

합기도는 상대방의 힘을 사용하여 쓰러뜨립니다.

합기도는 순식간에 상대방의 힘을 이용해 쓰러뜨립니다.

합기도는 반격이 잘 되면 순식간에 상대를 움직일 수 없게 합니다.

剣道

□ 剣道は日本の剣術です。

□ 日本の剣術の技は、内乱が続いた16世紀頃に発展しました。

□ 江戸時代、1603年から1868年まで、侍は道場と呼ばれる稽古場で剣の技を磨きました。

□ 江戸時代、独自の剣術の技を作り上げた名人がたくさんいました。

□ 近代の剣道は、竹刀と防具を使って試合をします。

□ 剣道では、面、胴、小手を打つことでポイントが入ります。首の前側を突くことでもポイントが入ります。

□ 今では、柔道と同様、剣道は現代の武道として学校で教えられ、毎年全国大会も開かれます。

검도

검도는 일본의 검술입니다.

일본의 검술 기술은 내란이 계속된 16세기경에 발전했습니다.

에도 시대, 1603년부터 1868년까지 사무라이는 도장이라고 불리는 연습장에서 검 기술을 연마했습니다.

에도 시대, 독자적인 검술 기술을 만들어 낸 고수가 많이 있었습니다.

근대의 검도는 죽도와 방어구를 사용하여 경기를 합니다.

검도에서는 머리, 몸통, 손을 치는 것으로 포인트가 들어갑니다. 목 앞쪽을 찌르는 것으로도 포인트가 들어갑니다.

지금은 유도와 마찬가지로 검도는 현대의 무도로서 학교에서 가르치고 매년 전국대회도 열립니다.

知っておくと役に立つ韓国語講座［4］

◆ 韓国の伝統スポーツ

씨름（シルム）

　日本の相撲に匹敵する韓国の伝統スポーツとして、シルムが挙げられます。韓国のシルムと日本の相撲はその源流は同じですが、互いの生活環境に応じて形を変え、発展してきました。シルムと相撲はどちらも相手を倒せば勝つ試合で、駆け引きなど多様な技が駆使できるという点で似ています。しかし、相手を規格化した土俵の外に押し出すだけでも勝者になる相撲と違い、シルムは相手の足以外の身体の部分を地面に触れさせてこそ勝者になります。選手の一人が外に押し出された場合は、中央で再び試合を始めます。したがって、シルムは相手を倒すための技術がより重要視されているといえます。また、相撲とは異なり、シルムの試合は普通3戦2勝で行います。一本勝負を決める相撲と敗者にもう一度チャンスを与えるシルムのやり方は、両国の民族性を反映しているのかもしれません。

태권도·택견（テコンドー・テッキョン）

　日本の柔道、空手のような格闘武術でいえば、韓国にはテコンドー、テッキョンなどがあります。特にテコンドーは韓国の国技（국기）で、キックを中心に手と足、その他の身体部位を利用して相手を効果的に制圧することを目指します。テコンドーの最大の特徴はキックで、様々な種類の足技を素早く使って相手を攻撃します。「強猛だが無謀ではなく、慎重だが消極的ではない」というテコンドーの哲学がその内容をよく表しています。素早く強く蹴りますが、身体の統制や技の美しさを重視し、積極的で軽快な動きを見せながらも回避に特化した動きがまさにそれだといえるでしょう。一方、テッキョンは韓国のソウル内外の都心地域で伝授されてきた伝統武術であり、大勢でチーム分けをして競う団体の民俗競技です。流派や講習機関によるものではなく、主に民間の師弟関係の形で伝承されてきました。1983年、武術としては初めて韓国の重要無形文化財（第76号）に登録され、また2011年の第6回ユネスコ無形遺産委員会でも、武術として初めて人類無形文化遺産に登録されました。

활쏘기 (弓術)

　弓矢 (활과 화살) を使って目標を射る (쏘다) 韓国の伝統武術であり民俗競技です。「활쏘기」という純韓国語の固有名詞がそのまま国の無形文化財 (第142号) になりました。弓術は特定の人物や団体に限定して伝承してきたものではなく、昔から韓民族全体が伝統的に享受してきた武芸なので、特定の保有者、保有団体を認めない種目なのだそうです。韓国ではかなり前から弓を非常に重要な武器と見なしてきました。韓国の古代国家である扶餘 (부여) の建国神話でも弓に関する話が登場し、高句麗では身分を問わず青少年時代から弓術を教えるなど、韓国人にとって弓術は最も広く普及した武芸でした。今日の韓国がオリンピックのアーチェリー (양궁) 種目に強い理由もまた、これと無関係ではなさそうです。

씨름

태권도

활쏘기

韓国の伝統音楽とアリラン

　韓国の伝統音楽には国楽（국악）や民謡（민요）、パンソリ（판소리）などが挙げられます。国楽は韓国の伝統音楽全体を指すこともありますが、狭義では宮廷音楽をはじめ身分の高い両班が好んでいた音楽をいいます。高麗時代を経て朝鮮時代に定着しました。民俗音楽は民衆の基層社会で形成・愛好された音楽で、過去に上層社会で愛好されていた正楽に対する概念の伝統音楽です。代表的に、民謡は民衆生活の中で自然に歌われてきたもので、地方ごとに特色があり、一般的に京畿民謡・西道民謡・南道民謡に分かれます。

　パンソリは歌い手1人と鼓手1人が物語を音楽で口演する伝統芸能です。庶民の間で語り継がれてきたパンソリは、19世紀末に文学的に内容がさらに豊かになり、都市の知識人の間でも高い人気を博すようになりました。最長で8時間続けられることもあり、歌い手は多様で独特な音色を会得し、複雑な内容をすべて暗記しなければならないため、高度な修練が必要とされます。現在「春香歌」、「沈清歌」、「興夫歌」、「水宮歌」、「赤壁歌」の5つの演目があり、2003年にユネスコ人類無形文化遺産に登録されました。

　アリラン（아리랑）は韓国の代表的な民謡で「アリラン」、またはそれに似た発音の語彙が入ったサビを規則的に、または断続的に歌います。韓国をはじめ朝鮮半島と海外の韓民族社会で広く愛唱され、韓民族の構成員なら誰でも知っている歌です。歌詞やテーマが決まっておらず何でも自由に歌えるという特徴があり、旋律も反復的で歌いやすいので、外国人でも何度か聞けば口ずさむことができます。もともとは韓国の中東部に位置する江原道とその近隣地域の郷土民謡で、柴刈り、田植え、田畑の草取りなど、山や野原、家の中であれこれするときに歌います。アリランは地域と世代を超えて広く伝承され再創造されているという点と、「アリランアリランアラリヨ（아리랑 아리랑 아라리요）」というサビさえ入れば誰でも簡単に作って歌えるという多様性の価値があります。2015年に国の無形文化遺産に指定され、2012年にはユネスコ人類無形文化遺産にも登録されています。

第5章

日本各地の説明

東京

日本の首都である東京には、毎年多くの外国人旅行者が訪れます。東京の概要、交通、歴史、江戸情緒、そして観光スポットについて韓国語で語ってみましょう。

東京の概要

☐ 東京は日本の首都です。

☐ 東京は日本の政治、ビジネス、文化の中心です。

☐ 東京は巨大な都市です。

☐ 東京はメガシティです。

☐ 東京は巨大な都市で、一日では堪能できません。

☐ 東京は人口が密集した都市です。

☐ 東京は巨大で、人口が密集しています。

☐ 東京都の人口は約1,400万人です。

☐ 現在、東京都にはおよそ1,400万の人が住んでいます。

☐ 東京都には23区あります。

☐ 東京23区には、現在およそ970万の人が住んでいます。

☐ 東京都と周辺地域をあわせ、首都圏といいます。

☐ 東京以外で、首都圏には神奈川、千葉、埼玉県が含まれます。

都庁

도쿄의 개요

도쿄는 일본의 수도입니다.

도쿄는 일본의 정치, 비즈니스, 문화의 중심입니다.

도쿄는 거대한 도시입니다.

도쿄는 메가시티입니다.

도쿄는 거대한 도시로 하루 만에 즐길 수 없습니다.

도쿄는 인구가 밀집한 도시입니다.

도쿄는 거대하고 인구가 밀집해 있습니다.

도쿄 도의 인구는 약 1,400만 명입니다.

현재 도쿄 도에는 대략 1,400만 명의 사람이 살고 있습니다.

도쿄 도에는 23구가 있습니다.

도쿄 23구에는 현재 대략 970만 명의 사람이 살고 있습니다.

도쿄 도와 주변 지역을 합쳐 수도권이라고 합니다.

도쿄 이외에 수도권에는 가나가와, 지바, 사이타마 현이 포함되어 있습니다.

- [ ] 首都圏には、およそ3,560万の人が住んでいます。

- [ ] 現在、970万の人が東京23区には住んでいて、首都圏には3,560万の人が住んでいます。

- [ ] 首都圏は、地球上でもっとも人口が多い都市圏です。

- [ ] 首都圏の商業・経済の規模はニューヨークとほぼ同じです。

- [ ] 日本のGDPのおよそ5分の1はここで生み出されています。

東京の交通

- [ ] 東京では、電車と地下鉄のネットワークを使うことをおすすめします。

- [ ] 東京の電車と地下鉄のネットワークはとても効率的です。

- [ ] 東京の電車と地下鉄は、よくネットワークされています。

- [ ] 東京だけで50以上の電車と地下鉄が走っています。

- [ ] 東京中では、50以上の通勤電車、地下鉄が出たり入ったりしています。

- [ ] 東京では、50以上の通勤電車、地下鉄が頻繁に走っています。

- [ ] 東京の新宿駅は毎日350万人以上の乗客が利用しています。

- [ ] 東京の百貨店やショッピングセンターは、主要駅の上に直接建てられています。

- [ ] 東京には、主要駅をつなぐ山手線という環状線があり、ほかの通勤電車や地下鉄に乗り換えることができます。

- [ ] 東京駅は新幹線の終着駅で、日本中から新幹線が到着します。

- [ ] 東京駅は新幹線の終着駅で、そこから東京の各地へ行く電車に乗り換えることができます。

東京駅

수도권에는 약 3,560만 명의 사람들이 살고 있습니다.

현재 970만 명의 사람들이 도쿄 23구에는 살고 있고, 수도권을 합치면 3,560만 명의 사람들이 살고 있습니다.

수도권은 지구상에서 가장 인구가 많은 도시권입니다.

수도권의 상업·경제 규모는 뉴욕과 거의 같습니다.

일본 GDP의 약 5분의 1은 여기서 산출되고 있습니다.

도쿄의 교통

도쿄에서는 전철과 지하철 네트워크를 사용하는 것을 추천합니다.

도쿄의 전철과 지하철 네트워크는 매우 효율적입니다.

도쿄의 전철과 지하철은 잘 네트워크화되어 있습니다.

도쿄에서만 50개 이상의 전철과 지하철이 달리고 있습니다.

도쿄 전역에서는 50개 이상의 통근 전철, 지하철이 왕래하고 있습니다.

도쿄에서는 50개 이상의 통근 전철, 지하철이 빈번하게 달리고 있습니다.

도쿄의 신주쿠 역은 매일 350만 명 이상의 승객이 이용하고 있습니다.

도쿄의 백화점이나 쇼핑 센터는 주요 역 위에 바로 세워져 있습니다.

도쿄에는 주요 역을 잇는 야마노테 선이라는 순환선이 있어 다른 통근 전철이나 지하철로 갈아 탈 수 있습니다.

도쿄 역은 신칸센의 종착역으로, 일본 전역에서 신칸센이 도착합니다.

도쿄 역은 신칸센의 종착역으로, 거기에서 도쿄 각지로 가는 전철로 갈아 탈 수 있습니다.

☐ 羽田は、日本各地から東京へ来るときの空の玄関です。

☐ 羽田は、日本各地から東京へ来るときの空の玄関であり、かつ国際空港でもあります。

☐ 山手線の浜松町駅で、羽田空港行きのモノレールに乗り換えられます。

☐ 東京の主要駅は、東京、品川、渋谷、新宿、池袋、そして上野です。

東京の歴史

☐ 東京とは、「東の都」の意味です。

☐ 東京という名は、1869年まで都だった京都が、東京の西450キロに位置していることからきています。

☐ 東京の歴史は、江戸城が建てられた1457年にはじまりました。

☐ 1869年以前、東京は江戸と呼ばれていました。

☐ 江戸は東京の旧称です。

☐ 1603年から1868年の間、幕府は江戸にありました。

☐ 江戸は幕府があったところです。

☐ 1868年までは、幕府は江戸にあり、宮廷は京都にありました。

☐ 1869年に天皇が京都から東京に移り、東京は日本の首都になりました。

☐ 現在の皇居である江戸城は、東京の中心部に位置しています。

☐ 現在の皇居である江戸城は、東京駅の近くにあります。

☐ 18世紀の江戸は、すでに日本、および世界でも最も人口の密集したところでした。

☐ 20世紀、東京は二度、ひどい被害を受けました。

하네다는 일본 각지에서 도쿄로 올 때 하늘의 현관입니다.

하네다는 일본 각지에서 도쿄로 올 때 하늘의 현관이자 국제공항이기도 합니다.

야마노테 선 하마마쓰초 역에서 하네다 공항으로 가는 모노레일로 갈아탈 수 있습니다.

도쿄의 주요 역은 도쿄, 시나가와, 시부야, 신주쿠, 이케부쿠로, 그리고 우에노입니다.

도쿄의 역사

도쿄는 동쪽의 도읍을 의미합니다.

도쿄라는 이름은 1869년까지 도읍지였던 교토가 도쿄의 서쪽 450km에 위치하고 있기 때문입니다.

도쿄의 역사는 에도 성이 세워진 1457년에 시작되었습니다.

1869년 이전에 도쿄는 에도라고 불렸습니다.

에도는 도쿄의 옛 이름입니다.

1603년에서 1868년 사이에 막부는 에도에 있었습니다.

에도는 막부가 있던 곳입니다.

1868년까지 막부는 에도에 있었고 궁정은 교토에 있었습니다.

1869년 천황이 교토에서 도쿄로 옮기면서 도쿄는 일본의 수도가 되었습니다.

현재의 황궁인 에도 성은 도쿄의 중심부에 위치하고 있습니다.

현재의 황궁인 에도 성은 도쿄 역 근처에 있습니다.

18세기 에도는 이미 일본 및 세계에서도 가장 인구가 밀집한 곳이었습니다.

20세기 도쿄는 두 번의 심한 피해를 입었습니다.

☐ 東京は第二次世界大戦中の爆撃で焼けました。

☐ 東京は1923年の関東大震災という地震で大きな被害を受けました。

☐ 20世紀、東京は1923年におきた関東大震災という地震と、第二次世界大戦中の爆撃で甚大な被害を受けました。

皇居内の正門石橋を臨む

江戸情緒

☐ 下町を歩くと、昔ながらの江戸の生活を垣間見ることができます。

☐ 東京の旧市街は、下町と呼ばれています。

☐ 東京の旧市街は下町と呼ばれ、江戸の雰囲気が隅田川沿いに点々と残っています。

☐ 東京の起源は江戸にあるので、東京を味わうには、江戸を良く知ることが大切です。

☐ 江戸情緒は、今では浅草、谷中、両国、そして深川などの地域で見られます。

☐ 古い魅力を知るには、上野や浅草のような下町がおすすめです。

☐ 浅草とその周辺は、今でも昔の江戸情緒を感じられる場所として知られています。

☐ 浅草は東京でも最も人気のある観光スポットです。

☐ 浅草の中心は、浅草寺です。

도쿄는 제2차 세계대전 중 폭격으로 불탔습니다.

도쿄는 1923년에 간토 대지진이라는 지진으로 큰 피해를 입었습니다.

20세기 도쿄는 1923년에 일어난 간토 대지진이라는 지진과 제2차 세계대전 중의 폭격으로 막대한 피해를 입었습니다.

桜田門。江戸城（現在の皇居）
の内堀に造られた門の一つ

에도의 정서

시타마치를 걸으면 옛날 그대로의 에도 생활을 엿볼 수 있습니다.

도쿄의 구시가지는 시타마치라고 불립니다.

도쿄의 구시가지는 시타마치라고 불리며, 에도의 분위기가 스미다가와를 따라 점점이 남아 있습니다.

도쿄의 기원은 에도에 있기 때문에 도쿄를 맛보려면 에도를 잘 아는 것이 중요합니다.

에도의 정서는 지금은 아사쿠사, 야나카, 료고쿠, 그리고 후카가와 등의 지역에서 볼 수 있습니다.

오래된 매력을 알기 위해서는 우에노와 아사쿠사 같은 시타마치를 추천합니다.

아사쿠사와 그 주변은 지금도 옛 에도 정서를 느낄 수 있는 장소로 알려져 있습니다.

아사쿠사는 도쿄에서도 가장 인기 있는 관광 명소입니다.

아사쿠사의 중심은 센소지입니다.

□ 谷中とその周辺は、ぶらぶら歩くのにうってつけの場所です。

□ 谷中近辺の裏通りには、寺、工芸品店、レストラン、古い民家などが並び、江戸の味わいを楽しむことができます。

□ 毎年、浅草寺には3000万の人が訪れます。

谷中の夕焼けだんだん

□ 浅草寺には観音菩薩が祀られています。

□ 浅草寺の参道は仲見世通りと呼ばれ、昔ながらの小物を買うことができます。

□ 浅草寺周辺では、伝統を生かした手工芸品、職人技の工芸品など、浅草の真の良さが発見できます。

外国人にも人気の仲見世通り

東京の観光スポット

□ 東京で最も大きい卸売市場である豊洲では、生き生きした仲買人たちのやり取りを見られるので、見逃さないように。

□ 豊洲へは是非行くことをおすすめします。豊洲は、東京最大の卸売り市場です。

□ 豊洲は東京最大の卸売り市場として知られています。海産物の取扱量は世界最大です。

□ 東京の新しい顔を楽しみたければ、秋葉原と原宿がよいでしょう。

□ 原宿は渋谷に近く、若者文化発祥の地とされています。

□ 東京の六本木、青山周辺は、ナイトライフを楽しめる場所です。

□ 六本木、青山周辺には、国際色豊かなレストランや、しゃれた店がたくさんあります。

□ 東京では世界中の美味しい食事を楽しむことができます。

□ 東京では、伝統的な日本食だけでなく、世界中の料理を楽しむことができます。

야나카와 그 주변은 어슬렁어슬렁 걷기에 안성맞춤인 장소입니다.

야나카 인근 뒷골목에는 사찰, 공예품점, 레스토랑, 오래된 민가 등이 즐비해 에도의 맛을 즐길 수 있습니다.

매년 센소지에는 3,000만 명이 방문합니다.

센소지에는 관음보살이 모셔져 있습니다.

센소지의 참배길은 나카미세도리라고 불리며 옛날 그대로의 소품을 살 수 있습니다.

센소지 주변에서는 전통을 살린 수공예품, 장인이 만든 공예품 등 아사쿠사의 진정한 면모를 발견할 수 있습니다.

도쿄의 관광 명소

도쿄에서 가장 큰 도매시장인 도요스에서는 생생한 중개인들의 거래를 볼 수 있으니 놓치지 마세요.

도요스에는 꼭 가보시길 권합니다. 도요스는 도쿄 최대의 도매시장입니다.

도요스는 도쿄 최대의 도매시장으로 알려져 있습니다. 해산물 취급량은 세계 최대입니다.

도쿄의 새로운 얼굴을 즐기고 싶다면 아키하바라와 하라주쿠가 좋을 것입니다.

하라주쿠는 시부야와 가까워 젊은이 문화의 발상지로 여겨지고 있습니다.

도쿄의 롯폰기, 아오야마 주변은 나이트 라이프를 즐길 수 있는 곳입니다.

롯폰기, 아오야마 주변에는 외국풍이 넘치는 레스토랑과 세련된 가게가 많이 있습니다.

도쿄에서는 전 세계의 맛있는 식사를 즐길 수 있습니다.

도쿄에서는 전통적인 일식뿐만 아니라 전 세계의 요리를 즐길 수 있습니다.

☐ 新宿の近くの新大久保周辺には、大きな韓国人街があります。

☐ 新宿の近くの新大久保周辺は、大きな韓国人街があり、本格的な韓国料理が食べられます。

☐ 渋谷と新宿はとても活気のあるところです。

☐ 渋谷と新宿は、活気のある商業地区で、ショッピングやナイトライフを楽しめます。

☐ 東京駅近くの大手町は、東京の金融街です。

신주쿠 근처의 신오쿠보 주변에는 큰 한국인 거리가 있습니다.

신주쿠 근처의 신오쿠보 주변에는 큰 한국인 거리가 있어 본격적인 한식을 먹을 수 있습니다.

시부야와 신주쿠는 매우 활기찬 곳입니다.

시부야와 신주쿠는 활기찬 상업 지구에서 쇼핑과 나이트 라이프를 즐길 수 있습니다.

도쿄 역 근처의 오테마치는 도쿄의 금융가입니다.

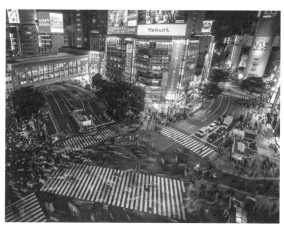

夜の渋谷スクランブル交差点

京都

その昔、唐の都「長安」を模したといわれる京都は、世界中の人があこがれる観光スポットです。由緒ある寺社、四季折々の自然の楽しみ方など、見どころがいっぱいです。

京都の概要

☐ 京都は、日本の首都でした。

☐ 京都は昔、日本の首都でした。

☐ 京都は794年から1869年の間、日本の首都でした。

☐ 京都は盆地に位置してます。

☐ 京都は内陸に位置してます。

☐ 京都は東京の西、460キロのところに位置してます。

☐ 東京から京都までは、新幹線で2時間15分かかります。

☐ 大阪から京都までは、電車で30分ほどです。

☐ 京都の人は、自分たちの歴史や伝統にとても誇りを持っています。

☐ 京都は日本の中でも最も歴史的なところです。

☐ 京都は古都ということだけでなく、日本の文化の中心です。

☐ 歴史の街として知られている京都ですが、経済的にも重要なところです。

京都の象徴、京都タワー

교토의 개요

교토는 일본의 수도였습니다.

교토는 옛날 일본의 수도였습니다.

교토는 794년에서 1869년 사이에 일본의 수도였습니다.

교토는 분지에 위치해 있습니다.

교토는 내륙에 위치해 있습니다.

교토는 도쿄의 서쪽, 460km 떨어진 곳에 위치해 있습니다.

도쿄에서 교토까지는 신칸센으로 2시간 15분이 걸립니다.

오사카에서 교토까지는 전철로 30분 정도가 걸립니다.

교토 사람들은 자신들의 역사와 전통에 매우 자부심을 가지고 있습니다.

교토는 일본 중에서도 가장 역사적인 곳입니다.

교토는 고도일 뿐만 아니라 일본 문화의 중심지입니다.

역사의 거리로 알려진 교토이지만 경제적으로도 중요한 곳입니다.

京都の観光

- [ ] 忙しい現代社会に暮らす日本の人たちにしてみると、京都は精神的な癒しの場でもあります。

- [ ] 数えきれないほどの名所旧跡が京都にはあります。

- [ ] 美しい庭のある古い寺、神社、別荘、伝統の家など、数えきれない名所旧跡が京都にはあります。

- [ ] 京都は街の中も郊外も、ぶらぶら歩いて見て回るのに、絶好の場所です。

- [ ] 京都には、街なかだけでなく、郊外にもたくさんの素晴らしい所があります。

- [ ] 2019年には、8700万人以上の人が京都を訪れています。

- [ ] 京都の名所旧跡や文化遺産には、毎年100万人以上の海外の人が訪れています。

- [ ] 京都には3000以上の寺や神社があります。

- [ ] 京都にある多くの建築物や庭は、国宝です。

- [ ] 京都には、様々な仏教宗派の本部になっている寺が、数多くあります。

- [ ] 長い間、首都だった京都は、無数の政治的事件や争いごとの現場となりました。

京都の歴史

- [ ] 天皇が宮廷を京都に移したのは、794年のことでした。

- [ ] 天皇が宮廷を京都に移し、都を平安京と改名したのは、794年のことでした。

- [ ] 794年から1185年まで、京都で天皇家が統治していた時代を、平安時代といいます。

- [ ] 鎌倉幕府が崩壊した1333年、後醍醐天皇は京都に新政府を設立しようとしました。

- [ ] 京都の後醍醐天皇による新政府は、たった3年しか続きませんでした。

교토의 관광

바쁜 현대사회에 사는 일본인들에게 교토는 정신적 치유의 장소이기도 합니다.

수없이 많은 명소 옛터가 교토에 있습니다.

아름다운 정원이 있는 오래된 사찰, 신사, 별장, 전통 가옥 등 셀 수 없는 명소 옛터가 교토에 있습니다.

교토는 시내도, 교외도 어슬렁어슬렁 걸어서 둘러보기에 절호의 장소입니다.

교토에는 시내뿐만 아니라 교외에도 많은 멋진 곳이 있습니다.

2019년에는 8,700만 명 이상의 사람들이 교토를 방문했습니다.

교토의 명소 옛터와 문화유산에는 매년 100만 명 이상의 외국인이 방문하고 있습니다.

교토에는 3,000개 이상의 절과 신사가 있습니다.

교토에 있는 많은 건축물과 정원은 국보입니다.

교토에는 다양한 불교 종파의 본부인 사찰들이 많이 있습니다.

오랫동안 수도였던 교토는 무수한 정치적 사건과 다툼의 현장이었습니다.

교토의 역사

천황이 궁정을 교토로 옮긴 것은 794년의 일이었습니다.

천황이 궁정을 교토로 옮기고 도읍을 헤이안쿄로 개명한 것은 794년의 일이었습니다.

794년부터 1185년까지 교토에서 천황가가 통치하던 시대를 헤이안 시대라고 합니다.

가마쿠라 막부가 붕괴한 1333년 고다이고 천황은 교토에 새 정부를 설립하려고 했습니다.

교토의 고다이고 천황에 의한 새 정부는 단 3년밖에 지속되지 않았습니다.

- [ ] 1338年、足利尊氏が将軍に命じられ、京都に新しい幕府を開きました。

- [ ] 15世紀、京都は10年におよぶ応仁の乱で焼け野原になりました。

- [ ] 京都は、1467年から1477年までの応仁の乱で、荒廃しました。

- [ ] 1603年に徳川家康は将軍に任命され、江戸(現東京)に幕府を開きましたが、天皇は京都に残りました。

- [ ] 徳川幕府崩壊の後、首都は京都から東京に移されました。

- [ ] 今でも、京都御所と呼ばれる宮廷が京都にはあります。

- [ ] 京都御所は、京都の中心地にあります。

- [ ] 天皇家は、重要な儀式があるときはいつでも京都御所を訪れます。

- [ ] 京都の二条城に行くと、見事な装飾の部屋を見ることができますが、そこは1867年に最後の将軍が政権を返上した場所でもあります。

京都の街歩き

- [ ] 京都の下町では、古い家などが立ち並ぶ通りや路地を歩くことができます。

- [ ] 古い商家を町屋といい、京都のあちこちにあります。

- [ ] 京都の町屋では、いろいろな手工芸品や骨董品などを見ることができます。

- [ ] 鴨川は京都のまん中を流れています。

- [ ] 京都の繁華街は河原町で、鴨川の西岸に位置しています。

- [ ] 鴨川の西側には先斗町があり、古くからの料理屋が立ち並んでいます。

- [ ] 祇園は京都の伝統的な歓楽街の中でも最も高級な界隈です。

1338년 아시카가 다카우지가 쇼군으로 임명을 받아 교토에 새로운 막부를 열었습니다.

15세기 교토는 10년에 걸친 오닌의 난으로 폐허가 되었습니다.

교토는 1467년부터 1477년까지의 오닌의 난으로 황폐해졌습니다.

1603년에 도쿠가와 이에야스는 쇼군으로 임명되어 에도(현 도쿄)에 막부를 열었지만 천황은 교토에 남았습니다.

도쿠가와 막부 붕괴 후 수도는 교토에서 도쿄로 이전되었습니다.

지금도 교토 고쇼라고 불리는 궁정이 교토에 있습니다.

교토 고쇼는 교토의 중심지에 있습니다.

천황가는 중요한 의식이 있을 때는 언제든지 교토 고쇼를 방문합니다.

교토의 니조 성에 가면 멋지게 장식된 방을 볼 수 있는데, 그곳은 1867년 마지막 쇼군이 정권을 반납한 곳이기도 합니다.

교토의 거리 걷기

교토의 시타마치에서는 오래된 가옥 등이 즐비한 거리와 골목을 걸을 수 있습니다.

오래된 상가를 마치야라고 하며 교토의 곳곳에 있습니다.

교토의 마치야에서는 다양한 수공예품과 골동품 등을 볼 수 있습니다.

가모가와는 교토의 한복판을 흐르고 있습니다.

교토의 번화가는 가와라마치로, 가모가와의 서안에 위치하고 있습니다.

가모가와의 서쪽에는 폰토초가 있고, 오래된 요리점이 즐비합니다.

기온은 교토의 전통적인 환락가 중에서도 가장 고급스러운 지역입니다.

□ 祇園は国の歴史保存地区で、古くからの民家、お茶屋、料理屋などがあります。

□ 京都では芸者のことを芸妓と呼びます。彼女たちは、伝統的なお茶屋や料理屋で働くプロの芸人です。

□ 舞妓はまだ修行中の芸妓のことで、祇園あたりでは着物を着て、髪を結った舞妓たちを見かけます。

□ 芸妓は遊女ではありません。芸妓とは洗練された身のこなしで、パトロンや大切な顧客を楽しませる女性のことです。

京都周辺

□ 東山は、京都東部の山がちな地域のことです。

□ 東山は、東部の山がちな地域で、古い寺院が並んでいます。

□ 清水寺から銀閣寺まで、東山地区には多くの有名な寺があります。

□ 北山地区は街の北西にあり、そこには有名な禅寺が点在しています。

□ 金閣寺、妙心寺、そして龍安寺は、北山地区にあります。

□ 金閣寺は黄金の建築物として有名で、北山地区にあります。

□ 龍安寺は石庭で有名です。

□ 嵐山は、流域に点在する小さな寺を訪れたり、散策するにはうってつけの場所です。

□ いくつかの歴史的な家屋や寺を訪ねるには、予約が必要です。

龍安寺の石庭

기온은 국가의 역사 보존 지구로 오래된 민가, 찻집, 요리점 등이 있습니다.

교토에서는 게이샤를 게이코라고 부릅니다. 그녀들은 전통적인 찻집이나 요리점에서 일하는 전문 연예인입니다.

마이코는 아직 수행 중인 게이코를 말하며, 기온 근처에서는 기모노를 입고 머리를 묶은 마이코들을 볼 수 있습니다.

게이코는 유녀가 아닙니다. 게이코란 세련된 몸놀림으로 후원자나 소중한 고객을 즐겁게 하는 여성을 말합니다.

교토 주변

히가시야마는 교토 동부의 산이 많은 지역입니다.

히가시야마는 동부의 산이 많은 지역으로 오래된 사찰들이 즐비합니다.

기요미즈데라에서 은각사까지 히가시야마 지구에는 유명한 절이 많이 있습니다.

기타야마 지구는 도시 북서쪽에 있으며, 그곳에는 유명한 선사가 산재해 있습니다.

금각사, 묘신지, 그리고 료안지는 기타야마 지구에 있습니다.

금각사는 황금 건축물로 유명하며 기타야마 지구에 있습니다.

료안지는 돌 정원으로 유명합니다.

아라시야마는 유역에 산재한 작은 절을 방문하거나 산책하기에 안성맞춤인 장소입니다.

몇몇 역사적인 가옥과 사찰을 방문하려면 예약이 필요합니다.

大阪

日本の文化の中心地であった京都に近い大阪は、西日本最大の都市です。独自の食文化や芸能文化が発達したところでもあります。

大阪の概要

☐ 大阪は東京から550キロ西のところに位置しています。

☐ 東京と大阪の間は、新幹線で2時間半かかります。

☐ 東京大阪間は、頻繁に電車が行き来しています。

☐ 大阪は京都の近くです。

☐ 大阪は、日本で2番目に大きな商業の中心地です。

☐ 大阪とその周辺は、日本で2番目に大きな経済、ビジネスの中心地です。

大阪の交通

関西国際空港

☐ 大阪の鉄道の玄関は新大阪駅で、大阪駅の北東5キロのところにあります。

☐ 大阪の国際空港は街の南側にあり、関西国際空港といいます。

☐ 大阪の国内線向け空港は、大阪国際空港（伊丹空港）といいます。

☐ 淀川は京都から大阪、そして大阪湾へと流れ込み、そこには大阪港があります。

☐ 神戸は港湾都市で大阪の西に位置しています。

오사카의 개요

오사카는 도쿄에서 550킬로미터 서쪽에 위치해 있습니다.

도쿄와 오사카 사이는 신칸센으로 2시간 반이 걸립니다.

도쿄와 오사카 사이는 전철이 자주 왕래하고 있습니다.

오사카는 교토의 근처입니다.

오사카는 일본에서 두 번째로 큰 상업 중심지입니다.

오사카와 그 주변은 일본에서 두 번째로 큰 경제, 비즈니스의 중심지입니다.

오사카의 교통

오사카 철도의 현관은 신오사카 역으로 오사카 역에서 북동쪽으로 5킬로미터 떨어진 곳에 있습니다.

오사카의 국제공항은 도시의 남쪽에 있으며, 간사이 국제공항이라고 합니다.

오사카의 국내선 전용 공항은 오사카 국제공항(이타미 공항)이라고 합니다.

요도가와는 교토에서 오사카, 그리고 오사카 만으로 흘러들고, 거기에는 오사카 항이 있습니다.

고베는 항만도시로 오사카의 서쪽에 위치해 있습니다.

☐ 西から東へ、神戸、大阪、京都の3都市は、大阪都市圏を形成しています。

☐ 大阪を中心とした広域圏を関西といいます。

☐ 関西はかつて上方と言われていました。意味は"上の方"ということで、京都が長い間、首都だったからです。

大阪の人

☐ 大阪市の人口は275万人です。

☐ 大阪市の人口は275万人ですが、京都市、神戸市を含め周辺地域にはおよそ1900万の人が住んでいます。

☐ 大阪弁とは、大阪人が使う方言です。

☐ 大阪の人たちは、大阪弁と言われるユニークな方言を使います。

☐ 大阪の人たちは、東京の人より強い地元意識を持っています。

☐ 大阪では、自分たちのユーモアのセンスに誇りを持っていて、独特のお笑いエンターテインメントがあります。

大阪の歴史

☐ 大阪が日本で最も重要な都市になったのは、100年にわたる内戦の後、豊臣秀吉が日本を統一し、大阪城を築いたときです。

☐ 100年の内戦を経て、日本を統一し大阪城を築いた豊臣秀吉は、大阪の人に人気のヒーローです。

☐ もともとの大阪城は、豊臣秀頼が徳川家康に滅ぼされた1615年に焼失しました。

☐ 豊臣秀吉の息子、秀頼は1615年に徳川家康により、大阪城で殺されました。

☐ 徳川家康は1603年、江戸(現東京)に幕府を開き、12年後に大阪城の豊臣秀頼を倒しました。

서쪽에서 동쪽으로 고베, 오사카, 교토의 세 도시는 오사카 도시권을 형성하고 있습니다.

오사카를 중심으로 한 광역권을 간사이라고 합니다.

간사이는 예전에 가미가타라고 알려져 있었습니다. 위쪽이라는 의미로 교토가 오랫동안 수도였기 때문입니다.

오사카 사람

오사카 시의 인구는 275만 명입니다.

오사카 시의 인구는 275만 명이지만, 교토 시, 고베 시를 포함해 주변 지역에는 대략 1,900만 명이 살고 있습니다.

오사카벤은 오사카 사람들이 사용하는 사투리입니다.

오사카 사람들은 오사카벤이라고 불리는 독특한 사투리를 사용합니다.

오사카 사람들은 도쿄 사람들보다 강한 지역적 자부심을 가지고 있습니다.

오사카에서는 자신들의 유머 감각에 자부심을 가지고 있고, 독특한 코미디 엔터테인먼트가 있습니다.

오사카의 역사

오사카가 일본에서 가장 중요한 도시가 된 것은 100년에 걸친 내전 후 도요토미 히데요시가 일본을 통일하고 오사카 성을 쌓았을 때입니다.

100년의 내전을 거쳐 일본을 통일하고 오사카 성을 쌓은 도요토미 히데요시는 오사카 사람들에게 인기 있는 영웅입니다.

원래의 오사카 성은 도요토미 히데요리가 도쿠가와 이에야스에게 멸망당한 1615년에 소실되었습니다.

도요토미 히데요시의 아들 히데요리는 1615년에 도쿠가와 이에야스에 의해 오사카 성에서 살해되었습니다.

도쿠가와 이에야스는 1603년 에도(현 도쿄)에 막부를 열고 12년 후 오사카 성의 도요토미 히데요리를 물리쳤습니다.

☐ 江戸時代、大阪は西日本の商業、文化の中心として栄えました。

☐ 江戸時代、文楽が大阪で始まりました。

大阪らしさ

☐ 大阪は商人魂で有名です。大阪の商人を「大阪商人」と呼びます。

☐ 阪神タイガースは大阪地区をベースにする人気のプロ野球チームで、東京をベースにする読売ジャイアンツとはライバル同士です。

☐ 大阪駅のある梅田は、大阪のビジネスの中心です。

☐ 難波は大阪の商業の中心で、梅田の南側に位置してます。

☐ 大阪・京都発祥の歌舞伎は、上方歌舞伎と呼ばれます。

大阪駅前

에도 시대 오사카는 서일본의 상업, 문화의 중심으로서 번창했습니다.

에도 시대 분라쿠가 오사카에서 시작되었습니다.

오사카다움

오사카는 상인 정신으로 유명합니다. 오사카의 상인을 '오사카 쇼닌'이라고 부릅니다.

한신 타이거스는 오사카 지구를 연고지로 하는 인기 프로야구 팀으로 도쿄를 연고지로 하는 요미우리 자이언츠와는 라이벌 사이입니다.

오사카 역이 있는 우메다는 오사카 비즈니스의 중심입니다.

난바는 오사카 상업의 중심으로 우메다의 남쪽에 위치해 있습니다.

오사카·교토 발상의 가부키는 가미가타 가부키라고 불립니다.

北海道

北海道は日本列島の最北端の島です。面積が広く、農業や畜産業が盛んです。冬は質のいい雪が降り、スキーリゾートには多くの海外からの観光客が集まっています。

北海道の概要

- [ ] 北海道は日本の行政区のひとつです。

- [ ] 北海道は日本の4つの主な島のうちのひとつです。

- [ ] 北海道は日本の4つの主な島のうちのひとつで、本州のすぐ北に位置しています。

- [ ] 北海道は日本で最も北にある島です。

- [ ] 北海道は最も北にある島で、冬の寒さはとても厳しいです。

- [ ] 北海道は日本で2番目に大きい島で、オーストリアと同じぐらいの大きさです。

- [ ] 北海道は、アイルランドと北アイルランドを合わせたぐらいの大きさで、520万人ほどの人が住んでいます。

- [ ] 北海道は日本で2番目に大きい島で、人口はたった520万人です。

- [ ] 北海道の冬はとても寒く、スキーリゾートもたくさんあります。

- [ ] 北海道の北東側の沿岸には大量の流氷が流れ着き、見事です。

- [ ] 北海道は広いので、空いている土地がたくさんあります。

- [ ] 北海道は、日本の他の地域のように混んでいません。実際、空いている土地がたくさんあります。

札幌の時計台

홋카이도의 개요

홋카이도는 일본의 행정구 중 하나입니다.

홋카이도는 일본의 4개 주요 섬 중 하나입니다.

홋카이도는 일본의 4개 주요 섬 중 하나로, 혼슈의 바로 북쪽에 위치해 있습니다.

홋카이도는 일본에서 가장 북쪽에 있는 섬입니다.

홋카이도는 가장 북쪽에 있는 섬으로, 겨울 추위가 매우 심합니다.

홋카이도는 일본에서 두 번째로 큰 섬으로, 오스트리아와 비슷한 크기입니다.

홋카이도는 아일랜드와 북아일랜드를 합친 정도의 크기로, 520만 명 정도의 사람이 살고 있습니다.

홋카이도는 일본에서 두 번째로 큰 섬으로, 인구는 겨우 520만 명입니다.

홋카이도의 겨울은 매우 춥고, 스키 리조트도 많이 있습니다.

홋카이도 북동쪽 연안에는 대량의 유빙이 흘러들어 장관입니다.

홋카이도는 넓기 때문에 비어 있는 땅이 많이 있습니다.

홋카이도는 일본의 다른 지역처럼 붐비지 않습니다. 사실 비어 있는 땅이 많이 있습니다.

北海道の交通

☐ 東京から北海道へ行くには、青函トンネルを通って津軽海峡を渡る夜行列車がいいです。

☐ 新千歳国際空港は、北海道の空の入り口です。

北方領土

☐ 千島列島 (クリル諸島) は、北東沿岸に位置しています。

☐ クリル諸島の4島について、日本とロシア双方が領土だと主張し合っています。

アイヌの人々

☐ 北海道にはアイヌという民族が住んでいます。

☐ アイヌは日本の少数民族で、かつては日本の北部に広がっていた先住民族です。

☐ アイヌは北海道の先住民族で、日本の他の地域とは異なるユニークな文化を持っています。

北海道の歴史

☐ 北海道の大部分は19世紀に拓かれました。

☐ 北海道への定住が始まったのは19世紀頃で、日本の他の地域と比べると大変遅いです。

☐ 19世紀、北海道は日本では開拓地でした。

☐ 19世紀の北海道は開拓地でした。そのため、歴史的背景や雰囲気が他の日本の地域とはまったく違います。

十勝平野の雄大な風景

홋카이도의 교통

도쿄에서 홋카이도로 가려면 세이칸 터널을 통해 쓰가루 해협을 건너는 야간 열차가 좋습니다.

신치토세 국제공항은 홋카이도의 하늘의 입구입니다.

북방영토

지시마 열도(쿠릴 열도)는 북동 연안에 위치해 있습니다.

쿠릴 열도의 4개 섬에 대해, 일본과 러시아 양측이 서로 자신의 영토라고 주장하고 있습니다.

아이누 사람들

홋카이도에는 아이누라는 민족이 살고 있습니다.

아이누는 일본의 소수 민족으로, 예전에는 일본의 북부에 퍼져 있던 토착 민족입니다.

아이누는 홋카이도의 원주민으로 일본의 그 밖의 지역과는 다른 독특한 문화를 가지고 있습니다.

홋카이도의 역사

홋카이도의 대부분은 19세기에 개척되었습니다.

홋카이도에 정착하기 시작한 것은 19세기 무렵으로, 일본의 다른 지역과 비교하면 매우 느립니다.

19세기, 홋카이도는 일본에서는 개척지였습니다.

19세기, 홋카이도는 개척지였습니다. 그렇기 때문에 역사적 배경이나 분위기가 다른 일본 지역과는 전혀 다릅니다.

札幌・函館

□ 札幌は北海道の道庁所在地です。

□ 札幌は北海道の道庁所在地であり、商業の中心です。

□ 札幌では2月初旬に雪祭りが行われ、野外にディスプレイされた雪の像などを楽しめます。

□ 函館は昔からの港町で、北海道の海からの玄関口となっています。

さっぽろ雪まつり

삿포로 · 하코다테

삿포로는 홋카이도의 도청 소재지입니다.

삿포로는 홋카이도의 도청 소재지이자 상업의 중심지입니다.

삿포로에서는 2월 초에 눈 축제가 열려 야외에 진열된 눈 조각상 등을 즐길 수 있습니다.

하코다테는 옛 항구도시이며, 홋카이도의 바다 관문입니다.

函館五稜郭

東北地方

東北地方は別称として、「奥羽地方」「みちのく」と呼ばれることもあります。農業が盛んで、米や酒の産地も多く、海産物などの新鮮な味も楽しめます。青森は本州の最北端に位置しています。

東北地方の概要

☐ 東北地方とは、本州の東北地域のことです。

☐ 東北は本州東北部のことで、北海道とは津軽海峡で隔てられています。

☐ 東北には6つの県があります。

☐ 青森は本州の最北端に位置しています。

☐ 秋田と山形は、日本海に面しています。

☐ 岩手、宮城、そして福島は太平洋に面しています。

東北の交通

☐ 東北と北海道は、青函トンネルという鉄道トンネルで結ばれています。

☐ 東北と北海道をつなぐのは、津軽海峡の下を通る青函トンネルです。

☐ 現在、新幹線という高速列車が、東京と東北地方の各県庁所在地を結んでいます。

☐ 東京から東北に行くには、新幹線を利用するのが便利です。

☐ 東北は列車の旅をするにはもってこいです。

☐ 東北は山、湖、そして複雑に海岸線が入り組んでいることで知られる三陸海岸などが有名です。

Track 19

도호쿠 지방의 개요

도호쿠 지방은 혼슈의 동북 지역을 말합니다.

도호쿠는 혼슈의 동북부를 말하며, 홋카이도와는 쓰가루 해협으로 분리되어 있습니다.

도호쿠에는 6개의 현이 있습니다.

아오모리는 혼슈의 최북단에 위치해 있습니다.

아키타와 야마가타는 일본해에 접해 있습니다.

이와테, 미야기, 그리고 후쿠시마는 태평양에 접해 있습니다.

도호쿠의 교통

도호쿠와 홋카이도는 세이칸 터널이라는 철도 터널로 연결되어 있습니다.

도호쿠와 홋카이도를 연결하는 것은 쓰가루 해협 아래를 지나는 세이칸 터널입니다.

현재 신칸센이라는 고속 열차가 도쿄와 도호쿠 지방의 각 현청 소재지를 연결하고 있습니다.

도쿄에서 도호쿠로 가려면 신칸센을 이용하는 것이 편리합니다.

도호쿠는 열차 여행을 하기에 제격입니다.

도호쿠는 산, 호수, 그리고 복잡하게 해안선이 얽혀 있는 것으로 알려진 산리쿠 해안 등이 유명합니다.

東北らしさ

☐ 東北の人は、東北弁という方言を使います。

☐ 東北弁は、東北の人たちが使っている独特な方言のことです。

☐ 東北は夏祭りでよく知られています。

☐ 仙台は七夕祭りで有名です。七夕祭りは星座の伝説に基づいています。

☐ 青森県のねぶた祭りは、豪華な装飾が施された山車がよく知られています。

☐ 夏に秋田県で行われる竿燈祭りでは、伝統的な日本の提灯を付けた大きな飾りを持って人々が練り歩きます。

☐ 東北は民芸品で有名です。

☐ 東北のこけしは、昔からの木製の人形で、主に山形で作られています。

☐ 座敷童は、子供の幽霊のことです。座敷童は古い家々を害から守ると東北では言われています。

☐ なまはげは、秋田地方の鬼のことです。冬の祭りのとき、なまはげは家々を訪れ、親の言うことを聞くようにと子供たちを怖がらせます。

青森県

☐ 東北の最北の県は青森です。

☐ 津軽は青森県の西部のことで、リンゴで有名です。

☐ 十和田湖は青森県にあり、湖周辺は美しい山々、川の流れ、温泉などがあります。

도호쿠다움

도호쿠 사람들은 도호쿠벤이라는 사투리를 씁니다.

도호쿠벤은 도호쿠 사람들이 사용하는 독특한 사투리를 말합니다.

도호쿠는 여름 축제로 잘 알려져 있습니다.

센다이는 다나바타 마쓰리로 유명합니다. 다나바타 마쓰리는 별자리 전설에 근거하고 있습니다.

아오모리 현의 네부타 마쓰리는 호화롭게 장식된 수레가 잘 알려져 있습니다.

여름에 아키타 현에서 열리는 간토 마쓰리에서는 전통적인 일본식 초롱을 단 큰 장식을 들고 사람들이 행진합니다.

도호쿠는 민예품으로 유명합니다.

도호쿠의 고케시는 옛날부터의 목제 인형으로 주로 야마가타에서 만들어졌습니다.

자시키와라시는 어린이 유령입니다. 자시키와라시는 오래된 집들을 해로운 것으로부터 보호한다고 도호쿠에서는 알려져 있습니다.

나마하게는 아키타 지방의 귀신을 말합니다. 겨울 축제 때 나마하게는 집집마다 찾아가 부모의 말을 들으라고 아이들에게 겁을 줍니다.

아오모리 현

도호쿠의 가장 북쪽의 현은 아오모리입니다.

쓰가루는 아오모리 현의 서부이며, 사과로 유명합니다.

도와다 호는 아오모리 현에 있으며, 호수 주변에는 아름다운 산들, 강 물결, 온천 등이 있습니다.

岩木山と、その手前に
見えるりんご畑

221

秋田県

☐ 秋田県は、東北の北西にあり、冬期の豪雪で知られています。

☐ 田沢湖は秋田県の行楽地です。

☐ 秋田県に行ったら、角館を訪ねてください。封建時代からの武家屋敷がよく保存されています。

毎年8月の初旬に行われる竿灯祭り

岩手県

☐ 盛岡は岩手県の県庁所在地で、かつては南部氏の所領でした。城跡は今でも街の中心に残っています。

☐ 岩手県の太平洋側は三陸といい、風光明媚なリアス式海岸でよく知られています。

☐ 遠野は岩手県にある村ですが、民間伝承で有名な町です。

☐ 平泉は歴史のある町で、12世紀に権勢を振るった藤原氏の本拠地だったところです。

☐ 岩手県の太平洋岸は、東北地方太平洋沖地震の津波で壊滅的な被害を受けました。

宮城県

☐ 宮城県には仙台市があります。仙台は東北地方の中心です。

☐ 仙台市は東北地方の中心で、この地域では最大の都市です。

☐ 仙台市は、封建時代に最も勢力のあった家の一つ、伊達家の城下町です。

☐ 仙台の青葉城は、封建時代に最も勢力の大きかった家の一つ、伊達家の居城でした。

☐ 松島は宮城県の北部にある美しい海辺です。

白石川に映る宮城の象徴、蔵王山と桜

아키타 현

아키타 현은 도호쿠의 북서쪽에 있으며, 겨울철 폭설로 알려져 있습니다.

다자와 호는 아키타 현의 행락지입니다.

아키타 현에 가면 가쿠노다테를 방문하세요. 봉건 시대부터의 무가 저택이 잘 보존되어 있습니다.

이와테 현

모리오카는 이와테 현의 현청 소재지로, 예전에는 난부 씨의 영지였습니다. 성터는 지금도 거리의 중심에 남아 있습니다.

이와테 현의 태평양 쪽은 산리쿠라고 하며, 풍광이 아름다운 리아스식 해안으로 잘 알려져 있습니다.

도노는 이와테 현에 있는 마을로, 민간 전승으로 유명한 동네입니다.

岩手山を眺める

히라이즈미는 역사가 있는 마을로, 12세기에 권세를 떨쳤던 후지와라 씨의 본거지였던 곳입니다.

이와테 현의 태평양 연안은 도호쿠 지방 태평양 지진의 쓰나미로 인해 괴멸적인 피해를 입었습니다.

미야기 현

미야기 현에는 센다이 시가 있습니다. 센다이는 도호쿠 지방의 중심입니다.

센다이 시는 도호쿠 지방의 중심으로, 이 지역에서는 가장 큰 도시입니다.

센다이 시는 봉건 시대에 가장 세력이 있었던 집안 중 하나인 다테 가문의 조카마치입니다.

센다이의 아오바 성은 봉건 시대에 가장 세력이 컸던 집안 중 하나인 다테 가문의 거성이었습니다.

마쓰시마는 미야기 현 북부에 있는 아름다운 해변입니다.

山形県

☐ 山形県は秋田県の南に位置し、日本海に面しています。

☐ 蔵王は山形県にある山で、スキーリゾートとして知られています。

☐ 出羽三山は山形県にある3つの山で、古代より霊山として知られています。

福島県

☐ 福島県は東北南部に位置し、県庁所在地は福島市です。

☐ 会津若松はお城で有名です。

☐ 東北の南部にある会津地方では、美しい湖や山が楽しめます。

☐ 会津地方は、1868年に徳川幕府終焉の際、激しい戦いが行われた場所です。

☐ 福島県は、東北地方太平洋沖地震の津波で、福島第一原子力発電所のメルトダウンで大変苦しんでいます。

滝桜と呼ばれる福島三春町の桜

야마가타 현

야마가타 현은 아키타 현의 남쪽에 위치하고 일본해에
접해 있습니다.

자오는 야마가타 현에 있는 산으로, 스키 리조트로
유명합니다.

月山の山頂には月山神社が見える

데와 삼산은 야마가타 현에 있는 3개의 산으로, 고대부터 영산으로 알려져 있습니다.

후쿠시마 현

후쿠시마 현은 도호쿠 남부에 위치하고 현청 소재지는 후쿠시마 시입니다.

아이즈와카마쓰는 성으로 유명합니다.

도호쿠 남부에 있는 아이즈 지방에서는 아름다운 호수와 산을 즐길 수 있습니다.

아이즈 지방은 1868년 도쿠가와 막부가 끝날 때 치열한 전투가 벌어졌던 곳입니다.

후쿠시마 현은 도호쿠 지방 태평양 지진의 쓰나미로 인한 후쿠시마 제1 원자력 발전소의
멜트다운으로 매우 고통받고 있습니다.

225

関東地方

関東には、日本の総人口の3分の1が集中しており、首都東京は日本の政治、経済、文化の中心です。東京では、2021年に2回目の夏のオリンピックが開催されました。

関東地方の概要

☐ 関東は本州の東部中央に位置し、日本の中心です。

☐ 関東地方に、東京があります。

☐ 関東地方は東京都のほかに6県あります。

☐ 横浜は東京の南に位置し、首都圏への海の玄関となっています。

☐ 横浜は東京の南に位置する大都市で、江戸時代終わりごろには外国人の居住区でした。

☐ 横浜には日本最大の中華街があります。

☐ 関東北部の群馬県と栃木県の山沿いは、趣のある温泉街がたくさんあります。

☐ 関東の南部から中部にかけて、関東平野が広がっています。

☐ 関東北部から西部にかけては、山や温泉で有名です。

☐ 伊豆諸島は、太平洋側にある伊豆半島から南に連なっています。

☐ 千葉県の成田空港は東京の中心部から列車で1時間ほどのところにあります。

☐ 東京の近くには2つの国際空港があります。

☐ 東京の近くには2つの国際空港があります。一つが成田空港で、もう一つが東京の中心からすぐの海沿いにある羽田空港となります。

Track 20

간토 지방의 개요

간토는 혼슈의 동부 중앙에 위치하며 일본의 중심입니다.

간토 지방에 도쿄가 있습니다.

간토 지방은 도쿄 도 외에 6개 현이 있습니다.

요코하마는 도쿄의 남쪽에 위치하며, 수도권으로 가는 바다의 현관입니다.

요코하마는 도쿄의 남쪽에 위치한 대도시로, 에도 시대가 끝날 무렵에는 외국인 거주 지역이었습니다.

요코하마에는 일본 최대의 중화가가 있습니다.

간토 북부의 군마 현과 도치기 현의 산을 따라 운치 있는 온천 거리가 많이 있습니다.

간토의 남부에서 중부에 걸쳐 간토 평야가 펼쳐져 있습니다.

간토 북부에서 서부에 걸쳐서는 산과 온천으로 유명합니다.

이즈 제도는 태평양 쪽에 있는 이즈 반도에서 남쪽으로 이어져 있습니다.

지바 현의 나리타 공항은 도쿄 중심부에서 열차로 1시간 정도 거리에 있습니다.

도쿄 근처에는 2개의 국제공항이 있습니다.

도쿄 근처에는 2개의 국제공항이 있습니다. 하나가 나리타 공항이고, 다른 하나가 도쿄 중심에서 가까운 바닷가에 있는 하네다 공항입니다.

第 5 章
日本各地の説明

関東地方…概要

227

- [ ] 羽田国際空港は、国内線を利用するのにとても便利です。

- [ ] 羽田からは国際線も発着しています。

- [ ] 成田で時間があれば、ぜひ成田市の新勝寺を訪ねてみてください。

東京近郊の観光

- [ ] 東京周辺には、日光国立公園など、魅力的なところがたくさんあります。

- [ ] 東京からたった2時間ほどのところにある日光は、日光東照宮という豪華な装飾の施された神社があり、人気があります。

- [ ] 日光東照宮は、徳川家康が死んだ翌年の1617年に建立されました。

- [ ] 東京にほど近い鎌倉は、1192年から1333年までの間、将軍が住んでいたところです。

- [ ] 鎌倉にはたくさんの古寺や神社があり、訪ねてみるのもいいものです。

- [ ] 1192年から1333年の間、将軍がいた鎌倉には古寺や神社がたくさんあり、興味深い場所です。

東京

- [ ] 東京は東京都と呼ばれる特別行政区で、都内だけでなく、奥多摩など西部の山あいの地域も含まれています。

- [ ] 太平洋に浮かぶ伊豆と小笠原諸島は、東京都に属し、都内から1000kmにわたって点在しています。

お台場側からのレインボーブリッジ風景

成田空港にも近い、成田山新勝寺

하네다 국제공항은 국내선을 이용하기에 매우 편리합니다.

하네다에서는 국제선도 운항하고 있습니다.

나리타에서 시간이 있으면, 꼭 나리타 시의 신쇼지를 방문해 보세요.

도쿄 근교의 관광

도쿄 주변에는 닛코 국립공원 등 매력적인 곳이 많이 있습니다.

도쿄에서 단 2시간 정도 거리에 있는 닛코는 닛코 도쇼구라는 호화롭게 장식된 신사가 있어 인기가 있습니다.

닛코 도쇼구는 도쿠가와 이에야스가 죽은 이듬해인 1617년에 건립되었습니다.

도쿄에서 가까운 가마쿠라는 1192년부터 1333년까지 쇼군이 살았던 곳입니다.

가마쿠라에는 많은 옛 절과 신사가 있어 방문해 보는 것도 좋습니다.

1192년에서 1333년 사이에 쇼군이 있던 가마쿠라에는 옛 절과 신사가 많이 있어 흥미로운 장소입니다.

도쿄

도쿄는 도쿄 도라고 불리는 특별 행정구로, 도내뿐만 아니라 오쿠타마 등 서부의 산간 지역도 포함되어 있습니다.

태평양에 떠 있는 이즈와 오가사와라 제도는 도쿄 도에 속하며 도내에서 1,000km에 걸쳐 산재해 있습니다.

群馬県

□ 群馬県は関東の北西に位置し、前橋市が県庁所在地です。

□ 群馬には、草津、伊香保、水上など多くの有名な温泉があります。

□ 草津や伊香保には、こじんまりした旅館が多く、日本らしい宿屋などが並ぶ温泉リゾート地です。

□ 群馬は昔、上州と呼ばれ、この地方の特長として乾燥した冬の風と、女性が強いことで知られています。

栃木県

□ 栃木県は関東の中北部に位置し、県庁所在地は宇都宮市です。

□ 栃木県の山沿い地方に日光・那須など、日本でも最も人気のある観光地があります。

□ 面白いことに、栃木では餃子がよく食べられています。

徳川家康を祀る日光東照宮

茨城県

□ 茨城県は太平洋に面しており、県庁所在地の水戸には、偕楽園という伝統的な公園があります。

□ 筑波研究学園都市には数多くの研究施設が集まっています。

□ 茨城県の霞ヶ浦地方には多くの湖があります。

군마 현

군마 현은 간토 북서쪽에 위치하고 있으며, 마에바시 시가 현청 소재지입니다.

군마에는 구사쓰, 이카호, 미나카미 등 유명한
온천이 많이 있습니다.

구사쓰와 이카호에는 아담한 료칸이 많고, 일본다운
숙박업소 등이 즐비한 온천 휴양지입니다.

草津の湯もみは観光客にも人気

군마는 옛날 조슈라고 불렸고, 이 지방의 특징으로
건조한 겨울 바람과 여성이 드센 것으로 알려져 있습니다.

도치기 현

도치기 현은 간토의 중북부에 위치하며, 현청 소재지는 우쓰노미야 시입니다.

도치기 현의 산기슭 지방에 닛코·나스 등 일본에서도 가장 인기 있는 관광지가 있습니다.

재미있게도 도치기에서는 만두를 자주 먹을 수 있습니다.

이바라키 현

이바라키 현은 태평양에 접해 있으며, 현청 소재지 미토에는 가이라쿠엔이라는 전통적인
공원이 있습니다.

쓰쿠바 연구 학원 도시에는 수많은 연구 시설이 모여 있습니다.

이바라키 현 가스미가우라 지방에는 많은
호수가 있습니다.

偕楽園にある好文亭

埼玉県

☐ 埼玉県は東京の北に位置し、首都圏に属しています。

☐ 秩父と長瀞は、東京に住む人々にとってちょうどいい山あいのハイキングコースです。

☐ 埼玉の県庁所在地はさいたま市です。

千葉県

☐ 千葉県は東京の東に位置し、東京のベッドタウンになっています。

☐ 千葉県の房総半島には、東京から多くの人がマリンスポーツを楽しみにやってきます。

☐ 成田国際空港は千葉県にあり、東京から電車で約1時間ほどです。

神奈川県

☐ 神奈川県は東京に隣接し、東京湾に面しています。

☐ 横浜市は神奈川県の県庁所在地で、東京から電車で30分ほどです。

☐ 神奈川県の横浜、鎌倉は、史跡なども多いところです。

☐ 神奈川県は都内の人がマリンスポーツを楽しむ場所として人気です。

☐ 箱根は、東京の近くにあって自然を満喫できる山間のリゾートです。

相模湾に面する湘南海岸

사이타마 현

사이타마 현은 도쿄의 북쪽에 위치하고 수도권에 속해 있습니다.

지치부와 나가토로는 도쿄에 사는 사람들에게 딱 좋은 산속 하이킹 코스입니다.

사이타마의 현청 소재지는 사이타마 시입니다.

国指定の名勝、長瀞渓谷

지바 현

지바 현은 도쿄의 동쪽에 위치해 있으며, 도쿄의 베드타운입니다.

지바 현의 보소 반도에는 도쿄에서 많은 사람들이 해양 스포츠를 즐기러 옵니다.

나리타 국제공항은 지바 현에 있으며, 도쿄에서 전철로 약 1시간 정도 걸립니다.

가나가와 현

가나가와 현은 도쿄에 인접하고 도쿄 만에 접해 있습니다.

요코하마 시는 가나가와 현의 현청 소재지로, 도쿄에서 전철로 30분 정도 걸립니다.

가나가와 현의 요코하마, 가마쿠라는 사적 등도 많은 곳입니다.

가나가와 현은 도내 사람들이 해양 스포츠를 즐기는 장소로 인기가 있습니다.

하코네는 도쿄 근처에 있어 자연을 만끽할 수 있는 산간 리조트입니다.

中部地方

中部地方は広い地域を指すため、太平洋側の県と日本海側の県、または内陸に位置する県で、気候、方言、食事、習慣など地域による違いが大きいです。

中部地方の概要

- [ ] 中部地方は本州中部の広い地域のことです。

- [ ] 中部地方は日本海にも太平洋にも面しています。

- [ ] 中部地方には9つの県があります。

- [ ] 中部地方には9つの県があり、最大の都市は名古屋です。

- [ ] 名古屋およびその周辺は、日本で3番目に大きな経済産業圏です。

- [ ] 中部国際空港は、海外から名古屋への空の玄関です。

- [ ] 北陸地方の中心は金沢です。

富士山

- [ ] 富士山は静岡県と山梨県の境にあり、その美しい姿で知られています。

- [ ] 富士山は美しく雄大な火山として日本の象徴になっています。

- [ ] 富士山は休火山で、標高3,776mと日本一の高さです。

- [ ] 空気が澄んでいるときは、東京からも富士山が見えます。

주부 지방의 개요

주부 지방은 혼슈 중부의 넓은 지역입니다.

주부 지방은 일본해에도 태평양에도 접해 있습니다.

주부 지방에는 9개의 현이 있습니다.

주부 지방에는 9개의 현이 있으며, 가장 큰 도시는 나고야입니다.

나고야 및 그 주변은 일본에서 세 번째로 큰 경제 산업권입니다.

주부 국제공항은 해외에서 나고야로 가는 하늘의 현관입니다.

호쿠리쿠 지방의 중심은 가나자와입니다.

후지산

후지산은 시즈오카 현과 야마나시 현의 경계에 있으며, 아름다운 모습으로 알려져 있습니다.

후지산은 아름답고 웅장한 화산으로서 일본의 상징입니다.

후지산은 휴화산이며, 해발 3,776m로 일본 최고의 높이입니다.

공기가 맑을 때는 도쿄에서도 후지산이 보입니다.

日本アルプス

☐ 中部地方には、日本アルプスという高い山脈がそびえています。

☐ 日本アルプスでは、山での様々なレジャーを楽しめます。

☐ 日本アルプス方面に行くには、山沿いを通り東京と名古屋を結ぶ中央線を使うのが便利です。

北陸

☐ 北陸地方には北陸本線という列車が通っています。

☐ 小松空港は、福井県と石川県の2県で使用されています。

☐ 中部地方のうち北部を北陸地方といいます。

☐ 中部地方の北部に位置し、日本海に面した北陸地方は、豪雪地帯として知られています。

☐ 北陸地方は積雪の多さで知られていましたが、最近は温暖化の影響でそうでもありません。

静岡県

☐ 静岡県は太平洋に面してひろがっています。

☐ 伊豆半島は富士山に近く、国立公園の一部でもあります。

☐ 伊豆半島は比較的東京にも近く、温泉リゾートも数多くあります。

☐ 伊豆半島の入口に熱海があり、温泉リゾートしてとても有名です。

일본 알프스

주부 지방에는 일본 알프스라는 높은 산맥이 솟아 있습니다.

일본 알프스에서는 산에서의 다양한 레저를 즐길 수 있습니다.

일본 알프스 방면으로 가려면 산을 따라 도쿄와 나고야를 연결하는 주오 선을 이용하는 것이 편리합니다.

호쿠리쿠

호쿠리쿠 지방에는 호쿠리쿠 본선이라는 열차가 다니고 있습니다.

고마쓰 공항은 후쿠이 현과 이시카와 현의 2개 현에서 사용되고 있습니다.

주부 지방 중 북부를 호쿠리쿠 지방이라고 합니다.

주부 지방의 북부에 위치해 있고 일본해에 접한 호쿠리쿠 지방은 폭설지대로 알려져 있습니다.

호쿠리쿠 지방은 눈이 많이 쌓이는 것으로 알려져 있었지만, 최근에는 온난화의 영향으로 그렇지도 않습니다.

시즈오카 현

시즈오카 현은 태평양에 접해 펼쳐져 있습니다.

이즈 반도는 후지산에 가깝고 국립공원의 일부이기도 합니다.

이즈 반도는 비교적 도쿄에서도 가깝고 온천 리조트도 많이 있습니다.

이즈 반도 입구에 아타미가 있고 온천 리조트로 매우 유명합니다.

山梨県

☐ 山梨県は静岡県の北に位置しています。

☐ 甲府盆地は、高い山に囲まれ、山梨県の真ん中に位置しています。

☐ 甲府市は山梨県の県庁所在地で、その周辺はブドウ畑があることで知られています。

信玄公ゆかりの武田神社

☐ 富士五湖は、富士山の麓にある山と湖の観光地です。

長野県

☐ 長野県は、日本アルプスの最高峰の山々が位置するところです。

☐ 長野はウィンタースポーツを楽しむのに最適で、1998年には冬季オリンピックも開催されました。

☐ 長野は昔は信濃と呼ばれ、今でもこの呼び方が使われることがよくあります。

☐ 長野県の県庁所在地は長野市で、642年に善光寺が建てられたことから発展しました。

☐ 松本市は城下町で、長野の主要都市のうちのひとつです。

☐ 木曽は長野の山間の谷に位置し、封建時代からの古い宿場町が点在しています。

☐ 木曽は木曽杉と呼ばれる日本産の杉で有名です。

新潟県

日本百名山のひとつ、妙高山

☐ 新潟県は、日本海に面し、ロシア東部からの入口になっています。

☐ 新潟市は新潟県の県庁所在地で、東京から上越新幹線を使えば簡単に行けます。

☐ 長岡と新潟県の山沿いで、世界最深積雪を記録しました。

야마나시 현

야마나시 현은 시즈오카 현의 북쪽에 위치해 있습니다.

고후 분지는 높은 산으로 둘러쌓여 있으며, 야마나시 현 한복판에 위치해 있습니다.

고후 시는 야마나시 현의 현청 소재지로, 그 주변의 포도밭으로 유명합니다.

후지 5호는 후지산 기슭에 있는 산과 호수의 관광지입니다.

나가노 현

나가노 현은 일본 알프스의 최고봉 산들이 위치해 있는 곳입니다.

나가노는 겨울 스포츠를 즐기기에 최적이며, 1998년에는 동계 올림픽도 개최되었습니다.

나가노는 옛날에는 시나노라고 불렸고, 지금도 이 호칭이 사용되는 경우가 자주 있습니다.

나가노 현의 현청 소재지는 나가노 시로, 642년 젠코지가 세워지면서 발전했습니다.

마쓰모토 시는 조카마치로 나가노의 주요 도시 중 하나입니다.

기소는 나가노 산간 계곡에 위치해 있으며, 봉건 시대부터의 오래된 숙박 마을이 산재해 있습니다.

기소는 기소 삼나무라고 불리는 일본산 삼나무로 유명합니다.

니가타 현

니가타 현은 일본해에 면하며 러시아 동부로부터의 입구입니다.

니가타 시는 니가타 현의 현청 소재지로, 도쿄에서 조에쓰 신칸센을 이용하면 쉽게 갈 수 있습니다.

나가오카와 니가타 현의 산간은 세계에서 가장 깊은 적설을 기록했습니다.

☐ 新潟は封建時代には越後と呼ばれていました。

☐ 佐渡は日本海に浮かぶ島で、かつては金山があることで知られていました。

富山県

☐ 富山市は富山県の県庁所在地で、日本海の富山湾に面しています。

☐ 立山連峰は、登山のほかにスキーリゾートとしても知られています。

☐ 富山周辺はイカやカニなどの海産物が豊富です。

☐ 富山の山間には昔ながらの集落が残っています。五箇山もそのひとつで、世界遺産に登録されています。

市街から立山連峰を眺める

石川県

☐ 金沢は北陸地方にある町で、史跡がたくさんあります。

☐ 金沢は北陸地方にある町で、日本庭園で知られる兼六園や武家屋敷など、史跡がたくさんあります。

☐ 金沢は、江戸時代に権勢を振るった前田家が統治していた歴史的な町です。

☐ 金沢では洗練された見事な工芸品を見ることができます。そのひとつが日本の焼き物のひとつである九谷焼です。

☐ 加賀友禅と呼ばれる染め物は、金沢の工芸品として有名です。

☐ 輪島とその周辺は、ひなびた村々や、民芸品、そして美しい海岸線で知られています。

雪つりがなされた名勝兼六園

니가타는 봉건 시대에 에치고라고 불렸습니다.

사도는 일본해에 떠 있는 섬으로 예전에는 금산이 있는 것으로 알려져 있었습니다.

도야마 현

도야마 시는 도야마 현의 현청 소재지로, 일본해의 도야마 만에 접해 있습니다.

다테야마 산등성이는 등산 외에 스키 리조트로도 알려져 있습니다.

도야마 주변은 오징어와 게 등 해산물이 풍부합니다.

도야마 산간에는 옛 마을이 남아 있습니다. 고카야마도 그 중 하나로 세계유산으로 등재되어 있습니다.

이시가와 현

가나자와는 호쿠리쿠 지방에 있는 마을로 사적이 많이 있습니다.

가나자와는 호쿠리쿠 지방에 있는 마을로, 일본 정원으로 유명한 겐로쿠엔과 무가 저택 등 사적이 많이 있습니다.

가나자와는 에도 시대에 권세를 떨쳤던 마에다 가문이 통치하던 역사적인 마을입니다.

가나자와에서는 세련되고 멋진 공예품을 볼 수 있습니다. 그 중 하나가 일본의 도자기 중 하나인 구타니야키입니다.

가가 유젠이라고 불리는 염색물은 가나자와의 공예품으로 유명합니다.

와지마와 그 주변은 그리운 시골 마을들과 민예품, 그리고 아름다운 해안선으로 알려져 있습니다.

福井県

□ 福井県は京都の北に位置し、県庁所在地の福井市は城下町です。

□ 福井県の県庁所在地の福井市の近くには、禅宗の
一派である曹洞宗の大本山である永平寺があり
ます。

□ 福井は、東尋坊という岩だらけの細く伸びた海岸
で有名です。

九頭竜川河口にある景勝地、東尋坊

岐阜県

□ 長野と同様に、岐阜県も内陸の山地をまたぐよう
にして広がっています。

□ 岐阜県の白川郷は、茅葺きの急傾斜の屋根が特徴
の家があることで知られており、世界遺産にも登
録されています。

□ 飛騨谷は、岐阜県の山間地方で、高山市はこの谷
に古くからある町です。

白川郷の合掌造りの集落

愛知県

□ 中部地方の中心は名古屋です。名古屋とその周辺で、日本第3の経済圏を形成して
います。

□ 名古屋とその周辺地域は、東京、大阪に次ぐ、日本で3番目の商業地区です。

□ 名古屋は愛知県にあり、かつて尾張と
呼ばれていました。

□ 江戸時代の尾張は、将軍に最も近い親
戚によって治められていました。

□ 名古屋までは、東京から新幹線で1時
間半で行けます。

金の鯱鉾から、金城とも称される名古屋城

후쿠이 현

후쿠이 현은 교토의 북쪽에 위치하고 있으며, 현청 소재지 후쿠이 시는 조카마치입니다.

후쿠이 현의 현청 소재지 후쿠이 시 근처에는 선종의 일파인 소토슈의 대본산인 에헤지가 있습니다.

후쿠이는 도진보라는 바위 투성이의 가늘게 뻗은 해안으로 유명합니다.

기후 현

나가노와 마찬가지로 기후 현도 내륙 산지에 걸쳐 펼쳐져 있습니다.

기후 현의 시라카와고는 경사가 가파른 초가지붕이 특징인 집이 있는 것으로 유명하며, 세계유산에도 등재되어 있습니다.

히다 골짜기는 기후 현의 산간 지방으로 다카야마 시는 이 골짜기에 오래 전부터 있어온 마을입니다.

아이치 현

주부 지방의 중심은 나고야입니다. 나고야와 그 주변에서 일본 제3의 경제권을 형성하고 있습니다.

나고야와 그 주변 지역은 도쿄, 오사카에 이은 일본의 세 번째 상업 지구입니다.

나고야는 아이치 현에 있어 예전에 오와리라고 불렸습니다.

에도 시대의 오와리는 쇼군과 가장 가까운 친척에 의해 다스려졌습니다.

나고야까지는 도쿄에서 신칸센으로 1시간 반이면 갈 수 있습니다.

近畿地方

関西地方ともいいます。長い間、日本の首都（都）がおかれていたこともあり、日本の伝統的な歴史や文化の中心地でもあります。日本の世界文化遺産の半分近くが、近畿地方にあるといわれるほどです。

近畿地方の概要

☐ 近畿地方は、かつては日本の政治的、文化的中心でした。

☐ 京都が位置しているのが近畿地方です。

☐ 近畿地方最大の都市は大阪です。

☐ 大阪とその周辺地域は、東京に次いで、日本で2番目に大きい商業地区です。

☐ 京都は大阪の東に位置しており、通勤列車で簡単に行くことができます。

☐ 近畿地方とは、名古屋の西、岡山県の東になります。

☐ 近畿地方には5つの県と、2つの特別区があります。

☐ 大阪、京都、神戸が近畿地方で最も大きな都市で、大大阪経済圏を成しています。

☐ 紀伊半島という大きな半島には、深い山や谷があり、その美しい海岸線を電車でも楽しむことができます。

☐ 名古屋の西から、南方向へ伸びる紀伊半島から、日本の多くの古代史が始まりました。

☐ 紀伊半島にはいくつかとても重要な神社や寺があります。こうした場所を結ぶ巡礼の道を熊野古道といいます。

☐ 紀伊半島の東側には伊勢神宮という神社があります。

긴키 지방의 개요

긴키 지방은 예전에는 일본의 정치적, 문화적 중심지였습니다.

교토가 위치해 있는 곳이 긴키 지방입니다.

긴키 지방 최대의 도시는 오사카입니다.

오사카와 그 주변 지역은 도쿄에 이어 일본에서 두 번째로 큰 상업 지구입니다.

교토는 오사카 동쪽에 위치하고 있어 통근 열차로 쉽게 갈 수 있습니다.

긴키 지방은 나고야의 서쪽, 오카야마 현의 동쪽입니다.

긴키 지방에는 5개의 현과 2개의 특별구가 있습니다.

오사카, 교토, 고베가 긴키 지방에서 가장 큰 도시로 대 오사카 경제권을 이루고 있습니다.

기이 반도라는 큰 반도에는 깊은 산과 계곡이 있고, 아름다운 해안선을 전철로도 즐길 수 있습니다.

나고야의 서쪽에서 남쪽 방향으로 뻗은 기이 반도에서 일본의 많은 고대사가 시작되었습니다.

기이 반도에는 몇 개의 매우 중요한 신사와 절이 있습니다. 이런 곳을 잇는 순례길을 구마노 고도라고 합니다.

기이 반도의 동쪽에는 이세진구라는 신사가 있습니다.

☐ 伊勢神宮は皇室にとっての氏神で、日本でも最も崇拝されるところの一つです。

☐ 伊勢神宮は約2000年前に建てられました。

☐ 紀伊半島の中央部を大和と呼び、そこに古代の朝廷がありました。

☐ 大和地方は日本の国が誕生したところとされています。

☐ 大和地方には、1500年以上前の古墳、寺、神社などが多く残っています。

近畿地方の交通

☐ 近畿地方を訪れるには、新幹線が便利です。

☐ 直接近畿地方に入りたい人には、関西国際空港が玄関口です。

☐ 近鉄（電車）は奈良、大和、伊勢間を効率よく結んでいます。

☐ 近鉄（電車）はネットワークが便利な私鉄線です。

大阪

☐ 大阪は大阪府とよばれる特別区で、日本で2番目
に大きい経済の中心地です。

1615年に焼失後、江戸期に再建された大阪城

京都

☐ 京都は京都府とよばれる特別区で、京都市が県庁所在地です。

☐ 京都府は京都市だけではなく、景観の美しい若狭湾岸までの北部も含みます。

☐ 京都府の北には、深い杉の森林が広がっています。

이세진구는 황실에 있어서의 우지가미로, 일본에서도 가장 숭배받는 곳 중 하나입니다.

이세진구는 약 2,000년 전에 지어졌습니다.

기이 반도의 중앙부를 야마토라고 부르고, 거기에 고대의 조정이 있었습니다.

야마토 지방은 일본이라는 나라가 탄생한 곳으로 알려져 있습니다.

야마토 지방에는 1,500년 이상 된 고분, 절, 신사 등이 많이 남아 있습니다.

긴키 지방의 교통

긴키 지방을 방문하려면 신칸센이 편리합니다.

직접 긴키 지방에 들어가고 싶은 사람에게는 간사이 국제공항이 현관입니다.

긴테쓰(전철)는 나라, 야마토, 이세 간을 효율적으로 연결하고 있습니다.

긴테쓰(전철)는 네트워크가 편리한 사철선입니다.

오사카

오사카는 오사카 부라고 불리는 특별구로, 일본에서 두 번째로 큰 경제 중심지입니다.

교토

교토는 교토 부라고 불리는 특별구로 교토 시가 현청 소재지입니다.

교토 부는 교토 시뿐만 아니라 경관이 아름다운 와카사 만까지의 북부도 포함합니다.

日本三景のひとつ、天橋立

교토 부 북쪽에는 깊은 삼나무 숲이 펼쳐져 있습니다.

奈良県

☐ 奈良県は紀伊半島の真ん中あたりに位置し、奈良市が県庁所在地です。

☐ 奈良は日本でも指折りの歴史の町で、710年から784年までの間、都が置かれていたところです。

☐ 奈良は京都から簡単に行けます。電車で京都駅から30分ほどです。

☐ 奈良の古の都は、平城京といいます。

☐ 京都と比べると、奈良はかなりリラックスした雰囲気です。

☐ 奈良では8世紀に建立された東大寺に行くのがよいでしょう。

☐ 東大寺は、752年に完成した世界最大の銅製の大仏で有名です。

☐ 東大寺のほかにも、奈良にはたくさんの古い寺があります。

☐ 奈良西部には、680年に建立された薬師寺があります。

☐ 薬師寺は美しい三重塔が有名で、これは730年に建てられたものです。

☐ 法隆寺は世界で最も古い木造建築で、607年に完成しました。

☐ 奈良地方にある東大寺、薬師寺、法隆寺など多くの寺には、中国文化の影響が強く見られます。

明日香村の石舞台古墳

나라 현

나라 현은 기이 반도의 한가운데 언저리에 위치해 있으며, 나라 시가 현청 소재지입니다.

나라는 일본에서도 손꼽히는 역사의 마을로, 710년에서 784년 사이에 수도가 위치해 있던 곳입니다.

나라는 교토에서 쉽게 갈 수 있습니다. 전철로 교토 역에서 30분 정도 걸립니다.

나라의 옛 도읍지는 헤이조쿄라고 합니다.

교토와 비교하면 나라는 상당히 편안한 분위기입니다.

나라에서는 8세기에 건립된 도다이지에 가는 것이 좋을 것입니다.

도다이지는 752년에 완성된 세계 최대의 동제 대불로 유명합니다.

도다이지 외에도 나라에는 오래된 절이 많이 있습니다.

나라 서부에는 680년에 건립된 야쿠시지가 있습니다.

야쿠시지는 아름다운 삼중탑이 유명한데, 이것은 730년에 지어진 것입니다.

호류지는 세계에서 가장 오래된 목조 건축으로, 607년에 완성되었습니다.

나라 지방에 있는 도다이지, 야쿠시지, 호류지 등 많은 절에는 중국 문화의 영향이 강하게 보입니다.

和歌山県

- ☐ 和歌山県は紀伊半島の西に位置し、和歌山市が県庁所在地です。

- ☐ 和歌山の南部は太平洋に面しており、温暖な気候で知られています。

- ☐ 和歌山は紀州と呼ばれて、かつては将軍の親戚の領地でした。

- ☐ 和歌山県には高野山という山があり、そこは日本の密教である真言宗の総本山です。

高野山には真言宗の総本山、金剛峰寺がある

- ☐ 高野山は、真言宗の総本山がある山の名前で、真言宗は819年に有名な弘法大師によって開かれました。

三重県

- ☐ 三重県は奈良県の東に位置し、名古屋にも近いです。県庁所在地は津市です。

- ☐ 三重県の東海岸にある伊勢志摩地方は、神道でも最も神聖な場所として知られています。伊勢神宮もここにあります。

- ☐ 伊勢志摩の海岸に沿って、たくさんの真珠養殖場があります。

와카야마 현

와카야마 현은 기이 반도의 서쪽에 위치해 있으며, 와카야마 시가 현청 소재지입니다.

와카야마의 남부는 태평양에 접해 있으며, 온난한 기후로 알려져 있습니다.

와카야마는 기슈라고 불리며, 예전에는 쇼군 친척의 영지였습니다.

와카야마 현에는 고야산이라는 산이 있는데, 그곳은 일본의 밀교인 신곤슈의 총본산입니다.

고야산은 신곤슈의 총본산이 있는 산의 이름이고, 신곤슈는 819년 유명한 고보 대사에 의해 열렸습니다.

미에 현

미에 현은 나라 현의 동쪽에 위치해 있고 나고야와도 가깝습니다. 현청 소재지는 쓰 시입니다.

미에 현의 동해안에 있는 이세시마 지방은 신도에서도 가장 신성한 장소로 알려져 있습니다. 이세진구도 여기 있습니다.

이세시마 해안을 따라 많은 진주 양식장이 있습니다.

二見町の夫婦岩

兵庫県

☐ 兵庫県は大阪の西に位置しています。

☐ 神戸は兵庫県の県庁所在地で、日本で最も重要な港のひとつです。

☐ 神戸は、1995年の阪神淡路大震災で大きな被害を受けました。

☐ 淡路島は瀬戸内海で最大の島で、本州とは明石海峡大橋でつながっています。

☐ 淡路島は大鳴門橋で、四国の徳島ともつながっています。

☐ 明石海峡大橋は、世界最長の吊り橋です。

☐ 姫路は姫路城という美しいお城があることで知られています。

国の重要文化財にも指定される姫路城
（白鷺城）

滋賀県

☐ 滋賀県の中央部には、日本最大の湖である琵琶湖があります。

☐ 滋賀県は、文化的にも経済的にも京都や大阪との結びつきが強い地域です。

☐ 彦根城の天守は国宝で、城の周囲は特別史跡に指定されています。

효고 현

효고 현은 오사카의 서쪽에 위치해 있습니다.

고베는 효고 현의 현청 소재지로, 일본에서 가장 중요한 항구 중 하나입니다.

고베는 1995년 한신-아와지 대지진으로 큰 피해를 입었습니다.

아와지시마는 세토 내해에서 가장 큰 섬으로 혼슈와는 아카시 해협 대교로 연결되어 있습니다.

아와지시마는 오나루토 다리로 시코쿠의 도쿠시마와도 연결되어 있습니다.

아카시 해협 대교는 세계 최장의 현수교입니다.

히메지는 히메지조라는 아름다운 성이 있는 것으로 알려져 있습니다.

시가 현

시가 현의 중앙부에는 일본 최대의 호수인 비와 호가 있습니다.

시가 현은 문화적으로나 경제적으로나 교토나 오사카와의 유대가 강한 지역입니다.

히코네 성의 천수는 국보로, 성 주위는 특별 사적으로 지정되어 있습니다.

琵琶湖の眺め

中国地方

山陰（日本海側）と山陽（瀬戸内海側）では、気候、風習、食なども大きく違います。温暖な山陽と違い、山陰の一部は豪雪地帯でもあります。

中国地方の概要

☐ 中国地方は本州の西の地域です。

☐ 中国地方は近畿地方の西に位置しています。

☐ 中国地方は瀬戸内海という海域にそって広がっています。

☐ 中国地方は関西と九州の間に位置しています。

☐ 中国地方には5つの県があります。

☐ 中国地方で一番大きいのは広島市です。

山陽・山陰

☐ 瀬戸内海に面した側を山陽といいます。

☐ 中国地方の島根県と鳥取県は、日本海に面しています。

☐ 山陽の主な都市には、新幹線で行くことができます。

☐ 山陽新幹線は、山陽地方の都市を経由しながら、大阪と九州を結んでいます。

☐ 東京から広島までは、新幹線で4時間半です。

☐ 中国地方の北部は日本海に面しており、山陰と呼ばれています。

Track 23

주고쿠 지방의 개요

주고쿠 지방은 혼슈의 서쪽 지역입니다.

주고쿠 지방은 긴키 지방의 서쪽에 위치해 있습니다.

주고쿠 지방은 세토 내해라는 해역을 따라 펼쳐져 있습니다.

주고쿠 지방은 간사이와 규슈 사이에 위치해 있습니다.

주고쿠 지방에는 5개의 현이 있습니다.

주고쿠 지방에서 가장 큰 곳은 히로시마 시입니다.

산요 · 산인

세토 내해에 접한 쪽을 산요라고 합니다.

주고쿠 지방의 시마네 현과 돗토리 현은 일본해에 면하고 있습니다.

산요의 주요 도시에는 신칸센으로 갈 수 있습니다.

산요 신칸센은 산요 지방의 도시를 경유하면서 오사카와 규슈를 연결하고 있습니다.

도쿄에서 히로시마까지는 신칸센으로 4시간 반입니다.

주고쿠 지방의 북부는 일본해에 접하고 있고, 산인이라고 불립니다.

瀬戸内海

☐ 瀬戸内海は本州と四国の間にあります。

☐ 瀬戸内海は本州と四国を隔てていますが、橋で行き来できます。

☐ 瀬戸内海は重要な海の交通ルートであるだけでなく、小さな島が点在する景観の美しいところです。

☐ 瀬戸内海には無数の静かな漁村が点在しています。

広島県

☐ 広島県は、山口県と岡山県に挟まれ、県庁所在地は広島市です。

☐ 広島県には、世界遺産が2つあります。ひとつは広島平和記念公園で、もうひとつが厳島神社です。

海上に立つ珍しい神社、厳島神社

☐ 広島市は、1945年に原爆で破壊されたことで世界中に知られています。

☐ 1945年8月6日、原爆が広島市上空で爆発し、およそ9万人が即死しました。

☐ 20万人以上の人が広島市の原爆で亡くなりました。

☐ 広島では多くの人が放射能による健康被害に苦しみました。

☐ 第二次世界大戦後、広島市は平和都市となりました。

☐ 今では広島市は、この地方の商業・産業の中心地で、100万人以上の人が住んでいます。

세토 내해

세토 내해는 혼슈와 시코쿠 사이에 있습니다.

세토 내해는 혼슈와 시코쿠를 사이에 두고 있지만, 다리로 왕래할 수 있습니다.

세토 내해는 중요한 바다 교통 경로일 뿐만 아니라 작은 섬들이 산재해 있는 경관이 아름다운 곳입니다.

세토 내해에는 수많은 조용한 어촌이 산재해 있습니다.

히로시마 현

히로시마 현은 야마구치 현과 오카야마 현 사이에 있고, 현청 소재지는 히로시마 시입니다.

히로시마 현에는 세계유산이 2개 있습니다. 하나는 히로시마 평화 기념 공원이고, 다른 하나는 이쓰쿠시마 신사입니다.

히로시마 시는 1945년에 원폭으로 파괴된 것으로 전 세계적으로 알려져 있습니다.

1945년 8월 6일, 원폭이 히로시마 시 상공에서 폭발하여 약 9만 명이 즉사했습니다.

20만 명 이상의 사람들이 히로시마 원폭으로 죽었습니다.

히로시마에서는 많은 사람들이 방사능에 의한 건강 피해에 시달렸습니다.

제2차 세계대전 후 히로시마 시는 평화 도시가 되었습니다.

지금 히로시마 시는 이 지방의 상업·산업 중심지로 100만 명 이상의 사람이 살고 있습니다.

鳥取県

☐ 鳥取県は日本海に面し、県庁所在地は鳥取市です。

☐ 鳥取市の海岸には、鳥取砂丘という大きな砂丘があります。

☐ 米子近辺は、鳥取県の産業の中心です。

島根県

☐ 島根県は日本海に面し、鳥取県の西に位置します。

☐ 松江市は島根県の県庁所在地で、城下町として知られています。

☐ 19世紀後半、松江は作家でジャーナリストのラフカディオ・ハーン (小泉八雲) によってアメリカに紹介されました。

☐ 出雲には出雲大社という重要な神社があり、ここは日本神話の時代まで遡ることができます。

岡山県

☐ 岡山県は広島の東に位置し、県庁所在地は岡山市です。

☐ 岡山県の南部は瀬戸内海に面しています。

回遊式庭園で知られる後楽園

山口県

本州と九州を分かつ関門海峡

☐ 山口県は本州の西の端に位置し、九州とは関門橋で結ばれています。

☐ 山口県はかつて封建時代には長州と呼ばれ、明治維新をもたらすのに重要な役割を果たした大藩でした。

☐ 萩は長州の昔の都で、興味深い史跡がたくさんあります。

☐ 山口県の下関は、中国地方の西の端に位置し、関門海峡を挟んで、九州と対峙しています。

日本海海岸に広がる鳥取砂丘

돗토리 현

돗토리 현은 일본해에 접해 있고, 현청 소재지는 돗토리 시입니다.

돗토리 시의 해안에는 돗토리 사구라는 큰 모래 언덕이 있습니다.

요나고 부근은 돗토리 현의 산업 중심지입니다.

시마네 현

시마네 현은 일본해에 접해 있고, 돗토리 현의 서쪽에 위치해 있습니다.

마쓰에 시는 시마네 현의 현청 소재지로 조카마치로 알려져 있습니다.

19세기 후반 마쓰에는 작가이자 저널리스트인 라프카디오 헌(고이즈미 야쿠모)에 의해 미국에 소개되었습니다.

이즈모에는 이즈모 대사라는 중요한 신사가 있는데, 이곳은 일본 신화 시대까지 거슬러 올라갈 수 있습니다.

오카야마 현

오카야마 현은 히로시마의 동쪽에 위치하고, 현청 소재지는 오카야마 시입니다.

오카야마 현의 남부는 세토 내해에 접해 있습니다.

야마구치 현

야마구치 현은 혼슈의 서쪽 끝에 위치하고, 규슈와는 간몬 교로 연결되어 있습니다.

야마구치 현은 과거 봉건 시대에는 조슈라 불렸으며, 메이지유신을 이루는 데 중요한 역할을 달성한 큰 번이었습니다.

하기는 조슈의 옛 도읍지로 흥미로운 사적이 많이 있습니다.

야마구치 현의 시모노세키는 주고쿠 지방의 서쪽 끝에 위치해 있고, 간몬 해협을 사이에 두고 규슈와 마주보고 있습니다.

四国地方

四国は、日本の主要4島の中では一番小さな島です。四方を海に囲まれ、温暖な気候で、果物の生産が盛んです。

四国地方の概要

☐ 日本の4つの主要な島の中で、四国が一番小さいです。

☐ 四国は、中国地方の南、瀬戸内海を渡ったところに位置しています。

☐ 四国は大阪の南西に位置しています。

☐ 四国には4つの県があります。

☐ 四国には4つの県があり、すべての県が海と接しています。

☐ 四国は本州四国連絡橋という橋で行き来することができます。

☐ 四国はその温暖な気候と山地で知られています。

☐ 四国はミカンと海産物が有名です。

四国の交通

☐ 中国地方の岡山から、瀬戸内海を渡る列車で、四国に行くことができます。

☐ 四国に行くには、多くの人が新幹線で岡山まで行き、四国行きの電車に乗り換えます。

☐ 四国のすべての県庁所在地の近くには空港があり、東京や大阪から飛行機で行けます。

시코쿠 지방의 개요

일본의 4개 주요 섬 중에서 시코쿠가 가장 작습니다.

시코쿠는 주고쿠 지방의 남쪽, 세토 내해를 건넌 곳에 위치하고 있습니다.

시코쿠는 오사카 남서쪽에 위치해 있습니다.

시코쿠에는 4개의 현이 있습니다.

시코쿠에는 4개 현이 있으며, 모든 현이 바다와 접하고 있습니다.

시코쿠는 혼슈-시코쿠 연락교라는 다리로 왕래할 수 있습니다.

시코쿠는 온난한 기후와 산지로 알려져 있습니다.

시코쿠는 귤과 해산물이 유명합니다.

시코쿠의 교통

주고쿠 지방의 오카야마에서 세토 내해를 건너는 열차로 시코쿠에 갈 수 있습니다.

시코쿠에 갈 때 많은 사람들이 신칸센으로 오카야마까지 가서 시코쿠행 전차를 갈아탑니다.

시코쿠의 모든 현청 소재지 근처에는 공항이 있어서 도쿄나 오사카에서 비행기로 갈 수 있습니다.

第 5 章
日本各地の説明

四国地方……概要／交通

四国らしさ

☐ 空海は昔の僧で、四国で生まれ、日本でも最も影響のある密教のひとつ、真言宗を開きました。

☐ 空海は弘法大師とも呼ばれ、今の香川県、讃岐で774年に生まれました。

☐ 四国は、空海ゆかりの地88ヵ所のお寺を回る四国お遍路という巡礼で有名です。

☐ 多くの日本人が、四国88ヵ所を歩いて周る巡礼の旅に出かけます。

☐ 四国88ヵ所を周る巡礼者のことを、日本語でお遍路さんと呼びます。

☐ お遍路は、日本人に人気の巡礼の旅で、全長1200キロ以上あります。

愛媛県

本州と四国を結ぶ来島大橋

☐ 愛媛県は、四国の北西に位置し、県庁所在地は松山市です。

☐ 松山は四国で最大の都市です。

☐ 道後は、松山市にほど近い温泉地として有名です。

☐ 石鎚山は、西日本で最も高い山で、仏教の修行の場として有名です。

香川県

☐ 香川県は四国の北東に位置し、県庁所在地は高松市です。

☐ 高松は、岡山との間の本州四国連絡橋を列車が通るようになり、とても便利になりました。

☐ 香川県は、讃岐うどんと呼ばれる麺で有名です。

金比羅宮の参道

시코쿠다움

구카이는 옛 승려로 시코쿠에서 태어나 일본에서도 가장 영향이 있는 밀교 중 하나인 신곤슈를 열었습니다.

구카이는 고보 대사라고도 불리며, 지금의 가가와 현 사누키에서 774년에 태어났습니다.

시코쿠는 구카이의 연고지인 88곳의 사찰을 도는 시코쿠 오헨로라는 순례로 유명합니다.

많은 일본인들이 시코쿠 88곳을 걸어서 도는 순례 여행을 떠납니다.

시코쿠 88곳을 도는 순례자를 일본어로 오헨로상이라고 부릅니다.

오헨로는 일본인에게 인기 있는 순례 여행으로, 총 길이 1,200km 이상입니다.

에히메 현

에히메 현은 시코쿠 북서쪽에 위치하고, 현청 소재지는 마쓰야마 시입니다.

마쓰야마는 시코쿠에서 가장 큰 도시입니다.

도고는 마쓰야마 시와 가까운 온천지로 유명합니다.

이시즈치산은 서일본에서 가장 높은 산으로, 불교 수행의 장으로 유명합니다.

가가와 현

가가와 현은 시코쿠 북동쪽에 위치하고, 현청 소재지는 다카마쓰 시입니다.

다카마쓰는 오카야마와의 사이에 있는 혼슈-시코쿠 연락교를 열차가 지나게 되어 매우 편리해졌습니다.

가가와 현은 사누키 우동이라고 불리는 면으로 유명합니다.

徳島県

□ 徳島県は四国東部に位置し、県庁所在地は徳島市です。

□ 徳島市までは、瀬戸内海を渡る大きな吊橋を使うと、大阪や神戸から車で簡単に行けます。

□ 鳴門海峡は、速い渦潮で有名です。

大小の渦巻ができる鳴門海峡

高知県

□ 高知県は四国の南側で、県庁所在地は高知市です。

□ 高知県は太平洋に面し、黒潮と呼ばれる海流のおかげで温暖です。

□ 高知県は四国の南部にあり、温暖な気候で知られています。

□ 高知はかつて土佐と呼ばれ、封建時代には山内氏が統治していました。

□ 高知では、カツオやマグロなどの海の幸を楽しめます。

□ 気候が温暖なので、高知では年に2度、米が収穫できます。

도쿠시마 현

도쿠시마 현은 시코쿠 동부에 위치해 있으며, 현청 소재지는 도쿠시마 시입니다.

도쿠시마 시까지는 세토 내해를 건너는 큰 현수교를 이용하면 오사카와 고베에서 차로 쉽게 갈 수 있습니다.

나루토 해협은 빠르게 소용돌이 치는 조수로 유명합니다.

고치 현

고치 현은 시코쿠의 남쪽이고, 현청 소재지는 고치 시입니다.

고치 현은 태평양에 접해 있으며, 구로시오라고 불리는 해류 덕분에 온난합니다.

고치 현은 시코쿠의 남부에 있으며, 온난한 기후로 알려져 있습니다.

고치는 예전에 도사라고 불렸고, 봉건 시대에는 야마우치 가문이 통치했습니다.

고치에서는 가다랑어와 참치 등 해산물을 즐길 수 있습니다.

기후가 온난하기 때문에 고치에서는 1년에 2번 쌀을 수확할 수 있습니다.

高知市街を臨む

九州地方

九州はアジアに近いので、古代には中国や韓国の無数の技術や文化の受け入れ口でした。日本の最西端に位置する沖縄は、363の島からなる県で、亜熱帯の気候をいかしたマリンスポーツなどの観光が盛んです。

九州地方の概要

☐ 九州は日本の4つの島のうち、最も南に位置しています。

☐ 九州は冬は暖かく、夏は暑いです。

☐ 九州地方の商業の中心は福岡市です。

☐ 九州と本州の間には関門海峡があります。

☐ 九州には多くの火山、温泉があり、美しい景観の海岸線も楽しめます。

☐ 九州には沖縄も含め8つの県があります。

☐ 福岡市と北九州市は、九州の中でも最大のメガシティで、両市とも福岡県にあります。

九州の交通

☐ 九州には東京から新幹線で行けます。所要時間は約5時間です。

☐ 2011年、新幹線は、九州の最南端の県、鹿児島まで延長されました。

☐ 東京から九州までは飛行機で1時間半かかります。

☐ 九州は大陸に近いので、何世紀もの間、日本への玄関口でした。

九州の歴史

☐ とくに古代において、中国や韓国からの無数の技術、文化が、九州経由で、日本に入ってきました。

Track 25

규슈 지방의 개요

규슈는 일본의 4개 섬 중 가장 남쪽에 위치해 있습니다.

규슈는 겨울은 따뜻하고 여름은 덥습니다.

규슈 지방의 상업 중심지는 후쿠오카 시입니다.

규슈와 혼슈 사이에는 간몬 해협이 있습니다.

규슈에는 많은 화산, 온천이 있고, 아름다운 경관의 해안선도 즐길 수 있습니다.

규슈에는 오키나와를 포함해 8개의 현이 있습니다.

후쿠오카 시와 기타큐슈 시는 규슈 중에서도 가장 큰 메가시티로, 두 시 모두 후쿠오카 현에 있습니다.

규슈의 교통

규슈는 도쿄에서 신칸센으로 갈 수 있습니다. 소요 시간은 약 5시간입니다.

2011년 신칸센은 규슈 최남단의 현인 가고시마 현까지 연장되었습니다.

도쿄에서 규슈까지는 비행기로 1시간 반 걸립니다.

규슈는 대륙에 가깝기 때문에 수세기 동안 일본의 관문이었습니다.

규슈의 역사

특히 고대에 중국과 한국으로부터 무수한 기술, 문화가 규슈를 거쳐 일본에 들어왔습니다.

- ☐ 過去、九州は韓国と多くの交流を行ってきました。

- ☐ 九州が、日本史の起源と考える人も多いです。

- ☐ 九州には、先史時代からの考古学的な遺跡が無数にあります。

- ☐ 封建時代、九州は強力な大名によって分割されていました。例えば、島津氏は現在の鹿児島県を支配していました。

- ☐ 日本が江戸時代に鎖国をしている間、長崎の出島と呼ばれる人工島が唯一の開かれた港で、オランダ商人だけが、ここで貿易することができました。

- ☐ 西部九州はその昔、キリスト教が幕府によって禁止されていたとき、隠れキリシタンがいたところとして知られています。

- ☐ 幕府によってキリスト教が禁止されていた頃、隠れてキリスト教を信仰していた人を、隠れキリシタンといいます。

- ☐ 隠れてキリスト教を信仰した人の多くが、17世紀、長崎県や熊本県で殉教しました。

福岡県

- ☐ 福岡県は九州の北端に位置し、県庁所在地は福岡市です。

- ☐ 九州最大の都市は福岡市で、九州の北部沿岸に位置しています。

- ☐ 福岡市は九州の商業の中心です。

- ☐ 福岡空港からは、アジア各地へ飛行機で行くことができます。

- ☐ 福岡と韓国の釜山の間には、フェリーが運行しています。

水郷の町を流れる柳川

- ☐ 福岡市の下町、博多には地元気質や伝統が残っています。

- ☐ 博多は福岡市の商業地域で、山笠という夏祭りもここで行われます。

과거에 규슈는 한국과 많은 교류를 해왔습니다.

규슈가 일본사의 기원이라고 생각하는 사람도 많습니다.

규슈에는 선사시대부터의 고고학적 유적이 무수히 있습니다.

봉건 시대에 규슈는 강력한 다이묘에 의해 분할되었습니다. 예를 들어, 시마즈 가문은 현재의 가고시마 현을 지배하고 있었습니다.

일본이 에도 시대에 쇄국을 하는 동안 나가사키의 데지마라고 불리는 인공섬이 유일하게 열린 항구로서, 네덜란드 상인만이 이곳에서 무역을 할 수 있었습니다.

서부 규슈는 예전에 기독교가 막부에 의해 금지되었을 때 은신 기독교도가 있던 곳으로 알려져 있습니다.

막부에 의해 기독교가 금지되었을 무렵 숨어서 기독교를 믿었던 사람을 은신 기독교도라고 합니다.

숨어서 기독교를 믿었던 사람의 대부분이 17세기에 나가사키 현과 구마모토 현에서 순교했습니다.

후쿠오카 현

후쿠오카 현은 규슈의 북쪽 끝에 위치하고, 현청 소재지는 후쿠오카 시입니다.

규슈 최대 도시는 후쿠오카 시로 규슈의 북부 연안에 위치해 있습니다.

후쿠오카 시는 규슈의 상업 중심지입니다.

후쿠오카 공항에서는 아시아 각지에 비행기로 갈 수 있습니다.

후쿠오카와 한국의 부산 사이에는 페리가 운행되고 있습니다.

후쿠오카 시의 시타마치인 하카타에는 지역색과 전통이 남아 있습니다.

하카타는 후쿠오카 시의 상업 지역으로, 야마카사라는 여름 축제도 이곳에서 열립니다.

☐ 博多山笠は、勢いのいい元気な祭りとして知られています。装飾の施された山車を担ぎ、通りに勢いよく出ていきます。

☐ 北九州市はかつて鉄鋼業で栄えましたが、それは炭鉱が町の南部にあったおかげです。

☐ 北九州市は本州から九州への玄関口で、本州の下関とはトンネルと橋でつながっています。

佐賀県

弥生時代の集落跡、吉野ケ里遺跡

☐ 佐賀は、福岡県と長崎県に挟まれた県です。県庁所在地は佐賀市です。

☐ 佐賀は伝統的な陶器で有名です。伊万里、唐津、有田市などでたくさんの陶器が作られています。

☐ 佐賀南部は有明海の湾に面しています。湾の干潟にはムツゴロウというひょうきんな魚が生息します。

☐ 佐賀県北部では、リアス式海岸にそって素晴らしい景色が堪能できます。

長崎県

☐ 長崎は九州の西の端に位置しています。

☐ 長崎市は1945年に2発目の原爆が落とされた町です。

☐ 広島市と同様、長崎市も平和貢献都市になりました。

☐ 封建時代、長崎は日本が海外に開かれた唯一の窓でした。

☐ 長崎にはチャイナタウンがあり、そこでは和食と中華を融合させた伝統の料理が楽しめます。

重要文化財の頭ケ島天主堂

☐ チャンポンは長崎に住む中国人が作り出した麺料理です。

☐ 長崎県の西岸に沿って、数えきれない島や入り江があります。

하카타의 야마카사는 기세 좋고 활기찬 축제로 알려져 있습니다. 장식된 수레를 메고 거리로 힘차게 나갑니다.

기타큐슈 시는 과거 철강업으로 번창했는데, 탄광이 마을 남부에 있었던 덕분입니다.

기타큐슈 시는 혼슈에서 규슈로 가는 현관으로, 혼슈의 시모노세키와는 터널과 다리로 연결되어 있습니다.

사가 현

사가는 후쿠오카 현과 나가사키 현 사이의 현입니다. 현청 소재지는 사가 시입니다.

사가는 전통적인 도자기로 유명합니다. 이마리, 가라쓰, 아리타 시 등에서 많은 도자기가 만들어지고 있습니다.

사가 남부는 아리아케 해의 만에 접해 있습니다. 만의 갯벌에는 무쓰고로라는 호리호리한 물고기가 서식합니다.

사가 현 북부에서는 리아스식 해안을 따라 멋진 경치를 즐길 수 있습니다.

나가사키 현

나가사키는 규슈의 서쪽 끝에 위치해 있습니다.

나가사키 시는 1945년에 두 번째 원폭이 떨어진 마을입니다.

히로시마 시와 마찬가지로 나가사키 시도 평화 공헌 도시입니다.

봉건 시대, 나가사키는 일본이 해외에 열린 유일한 창문이었습니다.

나가사키에는 차이나타운이 있으며, 그곳에서는 일식과 중화를 융합한 전통 요리를 즐길 수 있습니다.

짬뽕은 나가사키에 사는 중국인들이 만들어 낸 면 요리입니다.

나가사키 현의 서안을 따라 수없이 많은 섬과 하구가 있습니다.

☐ 平戸は歴史的な街で、禁教にも関わらず、ひそかに信仰を続けた隠れキリシタンについて知ることができます。

☐ 島原半島には雲仙岳という火山があります。島原市はこの半島にある美しい城下町です。

☐ 長崎県の東シナ海には、島々が点在しています。

熊本県

☐ 熊本は福岡の南にある県で、県庁所在地は熊本市です。熊本市は熊本城で有名です。

☐ 阿蘇山は熊本県にある火山で、九州のまん中に位置しています。

☐ 熊本県西岸には、天草諸島という景色のよい島々が点在しています。

茶臼山上に建てられた熊本城（1607年）

大分県

☐ 大分県は熊本県の東に位置し、山やリアス式海岸が見事な景観を作り出しています。県庁所在地は大分市です。

☐ 大分県の別府と湯布院は、温泉地として有名で、その他、山間部にもたくさんの温泉があります。

☐ 国東半島の谷あいにはたくさんの仏教寺院があり、修行の場として知られています。

☐ 大分県の宇佐という街には宇佐八幡宮があり、そこは武人の守り神とされています。

別府地獄めぐりのひとつ、海地獄

히라도는 역사적인 거리로 금교에도 불구하고 은밀하게 신앙을 이어간 은신 기독교도에 대해 알 수 있습니다.

시마바라 반도에는 운젠다케라는 화산이 있습니다. 시마바라 시는 이 반도에 있는 아름다운 조카마치입니다.

나가사키 현의 동중국해에는 섬들이 산재해 있습니다.

구마모토 현

구마모토는 후쿠오카 남쪽에 있는 현으로, 현청 소재지는 구마모토 시입니다. 구마모토 시는 구마모토 성으로 유명합니다.

아소산은 구마모토 현에 있는 화산으로 규슈 한복판에 위치해 있습니다.

구마모토 현 서안에는 아마쿠사 제도라는 경치가 좋은 섬들이 산재해 있습니다.

오이타 현

오이타 현은 구마모토 현의 동쪽에 위치하며, 산과 리아스식 해안이 멋진 경관을 만들어 내고 있습니다. 현청 소재지는 오이타 시입니다.

오이타 현의 벳푸와 유후인은 온천지로 유명하고, 그 외 산간 지역에도 많은 온천이 있습니다.

구니사키 반도의 계곡에는 많은 불교 사찰이 있어 수행의 장소로 알려져 있습니다.

오이타 현의 우사라는 거리에는 우사 하치만구가 있는데, 그곳은 무인의 수호신으로 여겨지고 있습니다.

宮崎県

特別天然記念物の蘇鉄

- ☐ 宮崎県は九州の南東にあり、黒潮が流れていることで気候はとても温暖です。県庁所在地は宮崎市です。

- ☐ 高千穂は、日本統治のためにニニギノミコトが降臨した場所と言われています。

- ☐ 日南海岸は太平洋に面した人気の観光地です。

鹿児島県

- ☐ 鹿児島県は九州の南部に位置し、県庁所在地は鹿児島市です。

- ☐ 鹿児島湾には桜島があり、活火山です。この火山は鹿児島市の向い側にあります。

- ☐ 霧島は鹿児島にあるもうひとつの休火山で、県北部に位置しています。周囲には多くの温泉地があります。

- ☐ 封建時代、鹿児島は薩摩と呼ばれ、島津氏が統治する強力な藩でした。

- ☐ 鹿児島の人々は、鹿児島弁という方言を使っています。

- ☐ 鹿児島県には自然のすばらしい奄美諸島もあります。

- ☐ 種子島は、JAXA（宇宙航空研究開発機構）が運営する宇宙センターがあることで知られています。

미야자키 현

미야자키 현은 규슈 남동쪽에 있으며, 구로시오가 흐르고 있어 기후는 매우 온난합니다. 현청 소재지는 미야자키 시입니다.

다카치호는 일본 통치를 위해 니니기노미코토가 강림한 곳으로 알려져 있습니다.

니치난 해안은 태평양에 접한 인기 관광지입니다.

가고시마 현

가고시마 현은 규슈의 남부에 위치하고, 현청 소재지는 가고시마 시입니다.

가고시마 만에는 사쿠라지마가 있고 활화산입니다. 이 화산은 가고시마 시 맞은편에 있습니다.

기리시마는 가고시마에 있는 또 하나의 휴화산으로, 현의 북부에 위치해 있습니다. 주위에는 많은 온천지가 있습니다.

봉건 시대, 가고시마는 사쓰마라고 불렸으며, 시마즈 가문이 통치하는 강력한 번이었습니다.

가고시마 사람들은 가고시마벤이라는 사투리를 쓰고 있습니다.

가고시마 현에는 자연이 훌륭한 아마미 제도도 있습니다.

다네가시마는 JAXA(우주항공연구개발기구)가 운영하는 우주센터가 있는 것으로 유명합니다.

現在も噴火を繰り返す桜島

沖縄県

象の鼻の形が特徴的な万座毛

- [ ] 沖縄も九州の一部ですが、歴史的にも文化的にもまったく異なります。

- [ ] 沖縄は九州と台湾の間に位置しています。

- [ ] 沖縄県は、亜熱帯気候に属しています。

- [ ] 沖縄は、160の島が連なる南西諸島の南にあり、その県庁所在地は那覇市です。

- [ ] 沖縄県の属する南西諸島を琉球諸島とよびます。

- [ ] 沖縄は熱帯の自然があり、日本人にとって人気の観光地です。

- [ ] 沖縄の文化やライフスタイルは、その位置、歴史的背景により、ほかの日本の地域とはまったく異なっています。

- [ ] 沖縄独自の料理、酒、そしてタバコがあります。

- [ ] 最近では、島唄と呼ばれる沖縄の民謡が、日本人の間でヒットしています。

- [ ] 島唄は沖縄の民謡で、地元の弦楽器である三線にあわせて歌われます。

- [ ] 三線は蛇皮線とも呼ばれます。三線は沖縄独特の楽器で、弦が3本で、胴の部分には蛇の皮が張られています。

- [ ] 沖縄はかつては琉球王国という独立国でした。

- [ ] 那覇には、ユネスコの世界遺産に登録されている首里城という城があります。

- [ ] 17世紀、日本による侵攻が始まりました。

- [ ] 沖縄が公式に日本となったのは1879年のことです。

- [ ] 1945年、沖縄はアメリカ軍に攻撃され、激しい戦場となりました。

276

오키나와 현

오키나와도 규슈의 일부이지만, 역사적으로나 문화적으로나 전혀 다릅니다.

오키나와는 규슈와 대만 사이에 위치해 있습니다.

오키나와 현은 아열대 기후에 속해 있습니다.

오키나와는 160개의 섬이 연결된 난세이 제도의 남쪽에 있으며, 현청 소재지는 나하 시입니다.

오키나와 현이 속한 난세이 제도를 류큐 제도라고 부른다.

오키나와는 열대의 자연이 있어 일본인들에게 인기 있는 관광지입니다.

오키나와의 문화와 라이프 스타일은 그 위치, 역사적 배경에 따라 다른 일본 지역과는 완전히 다릅니다.

오키나와의 독자적인 요리, 술, 그리고 담배가 있습니다.

최근에는 시마우타라고 불리는 오키나와 민요가 일본인들 사이에서 히트하고 있습니다.

시마우타는 오키나와 민요로, 현지의 현악기인 산신에 맞춰 부릅니다.

산신은 자비센이라고도 합니다. 산신은 오키나와 특유의 악기로, 현이 3개이고 몸통 부분에는 뱀 가죽이 덮혀 있습니다.

오키나와는 예전에는 류큐 왕국이라는 독립국이었습니다.

나하에는 유네스코 세계유산으로 등재되어 있는 슈리조라는 성이 있습니다.

17세기, 일본의 침공이 시작되었습니다.

오키나와가 공식적으로 일본이 된 것은 1879년의 일입니다.

1945년 오키나와는 미군의 공격을 받아 격렬한 전쟁터가 되었습니다.

☐ 沖縄の戦闘で、94,000人以上の人が亡くなり、その多くが市民でした。

☐ 戦争中、看護婦として従軍していた多くの若い女学生が殺されたり、自殺したりした壕が、沖縄南端にあります。

☐ 沖縄戦の被害者には看護婦として従軍していた若い女学生もいました。彼女たちはひめゆり部隊として知られています。

☐ 沖縄は第二次世界大戦中、唯一アメリカ軍が侵攻した県です。

☐ 日米安全保障条約により、沖縄本島にはたくさんの米軍基地があります。

☐ 日本人にとって、沖縄本島の約15％を占める米軍基地の問題は、賛否両論ある政治的関心事です。

っておきたい韓国のこと⑤

ソウルと釜山

韓国のソウルと釜山はよく日本の東京と大阪にたとえられます。ソウルは
国最大の都市で、朝鮮時代から数百年間の首都でもあり、現在は地方から
した人々がより多く住んでいます。しかし、代々ソウルに住んできたソ
っ子たちは、地方出身者とは違う彼らだけの気質を持っているといわれ
。地方の人々はソウル人を指して「ソウルのカッジェンイ（깍쟁이）」と呼
とがありますが、これは大都市出身らしくつんと澄まして高慢で気難し
人情がなくて小賢しいソウルの人々を皮肉って表現した言葉です。
れに対し、韓国第2の都市である釜山には港町特有の荒くて声が大き
活発な気質の人が多いです。「釜山モスマ（머스마）、カシナ（가시나）」は
出身の男女を指す方言ですが、彼らがソウルの地下鉄の中で釜山方言で
な会話をしていても、周囲のソウルの人々は互いに争っていると誤解し
めています。韓国語を習って使うことができる日本人でも、釜山の「チャ
チ市場のアジメ（아지매：おばさん）」たちの会話を聞いてみると、また別
国語のように聞こえるかもしれません。これは東京と大阪の人々の気質
とえられるでしょうか？

名な観光地である 자갈치（チャガルチ）市場では
보이소，사이소」という釜山方言が出迎えてくれ
は標準語で「오세요（来てください）」，보세요（見
），사세요（買ってください）」の意味。

オキナワ戦関連欄

오키나와 전투에서 94,000명 이상의 사람들이 죽었고, 그 중 대부분이 시민이었습니다.

전쟁 중 간호사로 종군하던 많은 젊은 여학생들이 죽거나 자살한 호수가 오키나와 남단에 있습니다.

오키나와 전투의 피해자 중에는 간호사로 종군하던 젊은 여학생도 있었습니다. 그녀들은 히메유리 부대로 알려져 있습니다.

오키나와는 제2차 세계대전 중 유일하게 미군이 침공한 현입니다.

미일 안전 보장 조약에 따라, 오키나와 본섬에는 많은 미군 기지가 있습니다.

일본인에게 오키나와 본섬의 약 15%를 차지하는 미군 기지 문제는 찬반 양론이 있는 정치적 관심사입니다.

知っておくと役に立つ韓国語講座［5］

◆ 韓国の行政区域

　韓国には日本の都道府県に該当する広域自治体があり、1つの特別市、6つの広域市、8つの道、1つの特別自治道、1つの特別自治市があります。1つの特別市はソウル（서울）で韓国の首都です。6つの広域市は釜山（부산）、大邱（대구）、仁川（인천）、光州（광주）、大田（대전）、蔚山（울산）で各地方の大都市です。8つの道は京畿道（경기도）、江原道（강원도）、忠清北道（충청북도）、忠清南道（충청남도）、全羅北道（전라북도）、全羅南道（전라남도）、慶尚北道（경상북도）、慶尚南道（경상남도）で、済州道（제주도）は特別自治道です。済州道だけを特別自治道に指定したのは、行政規制の緩和および国際的基準の導入で外国の観光客、投資家、移民者を誘致し、自由な企業活動を保障する政策を用意するためです。その他、韓国の行政首都の機能を持つ世宗（세종）特別自治市があります。

◆ 韓国の島

　三方が海に囲まれた韓国は南海岸と西海岸に数多くの島々が分布しています。その中には優れた景観を備え観光客を集める島もあれば、岩だらけの島もあります。公式的に韓国の島は計3,348個（有人島が472個、無人島が2,876個）で、この数はインドネシア、フィリピン、日本に続き世界4位に該当します。韓国で最も大きな島は有名な観光地である済州島（제주도）で、ソウルの3倍を超える面積があり、その次が南海岸に位置する巨済島（거제도）です。韓国は北側が北朝鮮によって遮られており、陸路を通じては外国に行けないため、事実上島国（섬나라）の状態ともいえます。

◆ 韓国の山

　韓国で最も高い山は済州島中央部にある海抜1,947mの漢拏山（한라산）で、済州島の面積の大部分を占めている火山です。漢拏山は国立公園で天然保護区域であり、ユネスコ世界自然遺産にも登録されています。島を除いた韓国の内陸で最も高い山は智異山（지리산）です。慶尚南道、全羅南道、全羅北道の3道にまたがる最も広い面積を持ち、韓国初の国立公園で、昔から霊山として崇められ数多くの寺院と近現代文化財が残っています。3番目に高い雪岳山（설악산）は太白山脈にある江原道の名山で、朝

鮮戦争前は北朝鮮に属していましたが休戦後に韓国領となりまし（ ）ており山と海を一緒に楽しめる国立公園です。国立公園に指定さ（ ）山コースが整備され、季節ごとに多くの登山客を迎えています。

◆ 韓国の川

　東側が山脈を成して高く、西南側に平野が広がる韓国の地形（ ）緩やかな形で流れているものが多いです。韓国で最も長い川は（ ）原道から始まり慶尚道全域を流域圏として南海に流れています（ ）江戦線」は北朝鮮軍の南下を阻止する最後の防衛線として機能（ ）れていたら韓国は存在しなかったかもしれません。洛東江とと（ ）강）、忠清道の錦江（금강）、全羅道の栄山江（영산강）を韓国の四（ ）漢江は朝鮮半島中部に位置する川で、北漢江と南漢江がソウル（ ）け、西海岸に流れる韓国を代表する川です。ソウルの地域を区（ ）南（강남）という名称は漢江を基準にしたもので、もともと朝鮮（ ）代（京城）のソウルは漢江以北地域、つまり江北でした。朝鮮戦（ ）た韓国は1960年代に入ってからわずか20〜30年で急速な経（ ）の「ライン川の奇跡」になぞらえて「漢江の奇跡（한강의 기적）（ ）中で江南も開発されてソウルに編入され、現在は韓国で最も（ ）域として有名です。

◆ 韓国の国立公園

　韓国の国立公園は計22か所あり、山岳型（18か所）、海上（ ）型（1か所）の類型に分かれています。韓国の有名な山々はほ（ ）されており、唯一の史跡型国立公園は慶尚北道にある慶州（ ）は高句麗（고구려）・百済（백제）を合わせて三国を統一した（ ）新羅千年の歴史を持つ史跡の都市です。よく日本の京都に（ ）は、韓国の仏教文化の白眉である仏国寺と石窟庵をはじめ（ ）られた数多くの遺跡と世界文化遺産を保有しています。南（ ）沿って大小の島々と自然の景観が調和を成す海洋生態系の（ ）公園と多島海（다도해）海上国立公園があります。夕日の赤（ ）まるで海の上に宝石を点々と散りばめたようです。

韓国語 日本紹介事典 JAPAPEDIA
ジャパペディア

2023年8月4日　第1刷発行

編　　者　　IBCパブリッシング
韓国語訳　　キム・ヒョンデ

発 行 者　　浦　　晋亮
発 行 所　　IBCパブリッシング株式会社
　　　　　　〒162-0804 東京都新宿区中里町29番3号 菱秀神楽坂ビル
　　　　　　Tel. 03-3513-4511　Fax. 03-3513-4512
　　　　　　www.ibcpub.co.jp

印 刷 所　　株式会社シナノパブリッシングプレス

© IBC Publishing 2023

Printed in Japan

ISBN978-4-7946-0771-3

오키나와 전투에서 94,000명 이상의 사람들이 죽었고, 그 중 대부분이 시민이었습니다.

전쟁 중 간호사로 종군하던 많은 젊은 여학생들이 죽거나 자살한 호수가 오키나와 남단에 있습니다.

오키나와 전투의 피해자 중에는 간호사로 종군하던 젊은 여학생도 있었습니다. 그녀들은 히메유리 부대로 알려져 있습니다.

오키나와는 제2차 세계대전 중 유일하게 미군이 침공한 현입니다.

미일 안전 보장 조약에 따라, 오키나와 본섬에는 많은 미군 기지가 있습니다.

일본인에게 오키나와 본섬의 약 15%를 차지하는 미군 기지 문제는 찬반 양론이 있는 정치적 관심사입니다.

知っておくと役に立つ韓国語講座 [5]

◆ 韓国の行政区域

　韓国には日本の都道府県に該当する広域自治体があり、1つの特別市、6つの広域市、8つの道、1つの特別自治道、1つの特別自治市があります。1つの特別市はソウル（서울）で韓国の首都です。6つの広域市は釜山（부산）、大邱（대구）、仁川（인천）、光州（광주）、大田（대전）、蔚山（울산）で各地方の大都市です。8つの道は京畿道（경기도）、江原道（강원도）、忠清北道（충청북도）、忠清南道（충청남도）、全羅北道（전라북도）、全羅南道（전라남도）、慶尚北道（경상북도）、慶尚南道（경상남도）で、済州道（제주도）は特別自治道です。済州道だけを特別自治道に指定したのは、行政規制の緩和および国際的基準の導入で外国の観光客、投資家、移民者を誘致し、自由な企業活動を保障する政策を用意するためです。その他、韓国の行政首都の機能を持つ世宗（세종）特別自治市があります。

◆ 韓国の島

　三方が海に囲まれた韓国は南海岸と西海岸に数多くの島々が分布しています。その中には優れた景観を備え観光客を集める島もあれば、岩だらけの島もあります。公式的に韓国の島は計3,348個（有人島が472個、無人島が2,876個）で、この数はインドネシア、フィリピン、日本に続き世界4位に該当します。韓国で最も大きな島は有名な観光地である済州島（제주도）で、ソウルの3倍を超える面積があり、その次が南海岸に位置する巨済島（거제도）です。韓国は北側が北朝鮮によって遮られており、陸路を通じては外国に行けないため、事実上島国（섬나라）の状態ともいえます。

◆ 韓国の山

　韓国で最も高い山は済州島中央部にある海抜1,947mの漢拏山（한라산）で、済州島の面積の大部分を占めている火山です。漢拏山は国立公園で天然保護区域であり、ユネスコ世界自然遺産にも登録されています。島を除いた韓国の内陸で最も高い山は智異山（지리산）です。慶尚南道、全羅南道、全羅北道の3道にまたがる最も広い面積を持ち、韓国初の国立公園で、昔から霊山として崇められ数多くの寺院と近現代文化財が残っています。3番目に高い雪岳山（설악산）は太白山脈にある江原道の名山で、朝

鮮戦争前は北朝鮮に属していましたが休戦後に韓国領となりました。東海岸に隣接しており山と海を一緒に楽しめる国立公園です。国立公園に指定された韓国の山々は登山コースが整備され、季節ごとに多くの登山客を迎えています。

◆ 韓国の川

　東側が山脈を成して高く、西南側に平野が広がる韓国の地形上、川は西南側に長く緩やかな形で流れているものが多いです。韓国で最も長い川は洛東江（낙동강）で、江原道から始まり慶尚道全域を流域圏として南海に流れています。朝鮮戦争当時、「洛東江戦線」は北朝鮮軍の南下を阻止する最後の防衛線として機能し、もしこの戦線が崩れていたら韓国は存在しなかったかもしれません。洛東江とともに首都圏の漢江（한강）、忠清道の錦江（금강）、全羅道の栄山江（영산강）を韓国の四大河川といいます。漢江は朝鮮半島中部に位置する川で、北漢江と南漢江がソウルの東で合流して通り抜け、西海岸に流れる韓国を代表する川です。ソウルの地域を区分する江北（강북）と江南（강남）という名称は漢江を基準にしたもので、もともと朝鮮時代（漢陽）、植民地時代（京城）のソウルは漢江以北地域、つまり江北でした。朝鮮戦争以後、世界最貧国だった韓国は1960年代に入ってからわずか20～30年で急速な経済成長を遂げ、ドイツの「ライン川の奇跡」になぞらえて「漢江の奇跡（한강의 기적）」と呼ばれました。この中で江南も開発されてソウルに編入され、現在は韓国で最もにぎやかで地価が高い地域として有名です。

◆ 韓国の国立公園

　韓国の国立公園は計22か所あり、山岳型（18か所）、海上・海岸型（3か所）、史跡型（1か所）の類型に分かれています。韓国の有名な山々はほとんどが国立公園に指定されており、唯一の史跡型国立公園は慶尚北道にある慶州（경주）国立公園です。慶州は高句麗（고구려）・百済（백제）を合わせて三国を統一した新羅（신라）の首都として、新羅千年の歴史を持つ史跡の都市です。よく日本の京都にも比肩するといわれる慶州は、韓国の仏教文化の白眉である仏国寺と石窟庵をはじめ、新羅の歴史と文化が込められた数多くの遺跡と世界文化遺産を保有しています。南海岸と西海岸には航路に沿って大小の島々と自然の景観が調和を成す海洋生態系の宝庫、閑麗（한려）海上国立公園と多島海（다도해）海上国立公園があります。夕日の赤い光を浴びて輝く島々は、まるで海の上に宝石を点々と散りばめたようです。

ちょこっと

知っておきたい韓国のこと❺

ソウルと釜山

　韓国のソウルと釜山はよく日本の東京と大阪にたとえられます。ソウルは韓国最大の都市で、朝鮮時代から数百年間の首都でもあり、現在は地方から上京した人々がより多く住んでいます。しかし、代々ソウルに住んできたソウルっ子たちは、地方出身者とは違う彼らだけの気質を持っているといわれます。地方の人々はソウル人を指して「ソウルのカッジェンイ(깍쟁이)」と呼ぶことがありますが、これは大都市出身らしくつんと澄まして高慢で気難しく、人情がなくて小賢しいソウルの人々を皮肉って表現した言葉です。

　これに対し、韓国第2の都市である釜山には港町特有の荒くて声が大きく、活発な気質の人が多いです。「釜山モスマ(머스마)、カシナ(가시나)」は釜山出身の男女を指す方言ですが、彼らがソウルの地下鉄の中で釜山方言で平凡な会話をしていても、周囲のソウルの人々は互いに争っていると誤解して眺めています。韓国語を習って使うことができる日本人でも、釜山の「チャガルチ市場のアジメ(아지매:おばさん)」たちの会話を聞いてみると、また別の外国語のように聞こえるかもしれません。これは東京と大阪の人々の気質にたとえられるでしょうか?

釜山の有名な観光地である 자갈치 (チャガルチ) 市場では「오이소，보이소，사이소」という釜山方言が出迎えてくれます。これは標準語で「오세요 (来てください)，보세요 (見てください)，사세요 (買ってください)」の意味。

韓国語 日本紹介事典 JAPAPEDIA（ジャパペディア）

2023年8月4日　第1刷発行

編　　者　　IBCパブリッシング
韓国語訳　　キム・ヒョンデ

発 行 者　　浦　晋亮

発 行 所　　IBCパブリッシング株式会社
　　　　　　〒162-0804 東京都新宿区中里町29番3号 菱秀神楽坂ビル
　　　　　　Tel. 03-3513-4511　Fax. 03-3513-4512
　　　　　　www.ibcpub.co.jp

印 刷 所　　株式会社シナノパブリッシングプレス

© IBC Publishing 2023

Printed in Japan

ISBN978-4-7946-0771-3